桃太郎は
嫁探しに行ったのか？

著／倉持よつば

『ももたろう』松居直 文　赤羽末吉 画　福音館書店

はじめに

　私は小学5年生の時に「桃太郎は盗人なのか？〜『桃太郎』から考える鬼の正体〜」というテーマで調べ学習をし、第22回図書館を使った調べる学習コンクール小学生高学年の部で文部科学大臣賞を受賞しました。その時に新日本出版社の社長さんに声をかけていただき、本を出版することになりました。これが多くの方に読まれることになりとてもうれしいです。本を出版してから、たくさんの方々とのつながりができ、今回の調べ学習では、多大な協力をしていただきました。

　今年も桃太郎について調べましたが、5年生の時より調べる内容が難しく、調べている途中でわからないことがたくさんありました。しかも、今回の調べ学習はコロナウイルスが蔓延している中での状況だったので完成できるか不安でした。小学校6年生の3月には、一斉休校になり、図書館も閉館してしまいました。学校が休みになり、自宅で毎日過ごす中で、日本全国の桃太郎昔話を読み、資料編を作成し始めました。本を借りたり、直接見たり、インタビューしたりすることが思うようにできず、日本全国の桃太郎を集め、まとめるまでに1年以上かかってしまいました。今回の「嫁取り噺『桃太郎』〜全国の伝承昔話『桃太郎』を読み比べる〜」（書籍では『桃太郎は嫁探しに行ったのか？』に改題）は、小学6年生の3月から中学2年生の10月までの約2年間をかけて完成させたものです。

　私の中学校生活は、新型コロナウイルス感染症に振り回され

た2年間でした。中学校の入学式は6月で、体育館が暑かったのを思い出します。部活、学校行事、校外学習など、中止になったり、制限があったりと、楽しみにしていた中学校生活とは全然違っていました。この調べ学習も、本を集められず読めなかったり、フィールドワークへ行けなかったりと、満足のいく完成とは言えないかもしれません。でも、コロナ禍で制限のある中で精いっぱい取り組みました。桃太郎の調べ学習の2年間の集大成と言っても過言ではありません。

　2022年1月12日に、第25回図書館を使った調べる学習コンクールの発表があり、中学生の部で、文部科学大臣賞という素晴らしい賞をいただきました。社長さんに連絡したところ、図書館振興財団さんへわざわざ行って作品を読んで下さったそうです。その後、社長さんから連絡があり、素晴らしかった、とお褒めの言葉をいただきました。その時に、第2弾で書籍化しませんかと声をかけて下さり、2冊目の本を出版することになりました。本を出版するだけでもありえないことなのに、2冊目を出版するなんて考えていなかったので、とてもうれしいです。思うような中学校生活ができなかった私にとって、ごほうびの「きびだんご」をもらった犬・猿・雉の気持ちになりました。

　「まとめ」にも書きましたが、日本全国の桃太郎を全部読むことはできませんでした。ですが、現段階でできる精いっぱいの私の作品です。小学6年生の3月から頑張ってきた調べ学習の作品を書籍としてまたたくさんの人に読んでもらえると思うとうれしいです。

　2022年3月15日　　　　　　　　　　　倉持よつば

🌰 もくじ 🌰

はじめに ……………………………………………………………… 2

この本の見方 ………………………………………………………… 6

❶ 調べたきっかけ …………………………………………………… 7
　きっかけになったのは…8

❷ お姫さまが出てくる「桃太郎」の出典を調べる…11
　お姫さまが登場の松居直『ももたろう』の出典を調べる…12
　『日本昔話大成』からお姫さまが登場する「桃太郎」を調べる…16

❸ 日本全国の昔話「桃太郎」を読み比べる ………… 19
　①桃太郎の生まれ方……桃太郎がどのように、どこから生まれるか…20
　②桃太郎の人物像……桃太郎の性格や育ち方…27
　③鬼ヶ島へ行く理由……鬼ヶ島に行く理由や行き方…32
　④鬼から取り返した宝物……宝物の種類と取り返しているか…34
　　桃太郎噺の中に「庶民の願望がある」とあった！…41

🌰よつばコラム　暮らしの中に生きる桃太郎
　　　　　　　　　〜祖父の話から考えたこと〜 …………… 44

❹ 全国の桃太郎話を分類する〜5つの観点から〜… 47
　桃太郎昔話の分類…48
　5つの観点で分けて表にまとめる…56

❺ お姫さま・娘が出てくる物語の背景 ……………… 69
　お姫さま・娘たちが出てくる「桃太郎」は予想より少ない!!…70

⑥ 妻覓ぎの意味を探る ························· 85

「柳田國男館」で「妻覓ぎ」の桃太郎について聞いてみる…86

柳田國男の著書から再度、「妻覓ぎの桃太郎」について考える…88

関敬吾の『桃太郎の誕生』の「解説」から「妻覓ぎ桃太郎」について考える…91

野村純一の『桃太郎と鬼』から妻覓ぎ桃太郎について考える…97

⑦ 本当の桃太郎を探す ························· 105

「妻覓ぎ桃太郎」が本当の桃太郎なのか聞いてみる…106

⑧ 桃太郎の発祥を探る ························· 111

「桃太郎」の本当の伝説地は、どこなのか?…112

よつばコラム「桃太郎絵巻」から見る妻覓ぎ ···· 122

⑨ まとめ ························· 125

あとがき～2年間の調べ学習を終えて～ ··········· 130

参考・引用文献リスト ························· 134

後記 ························· 142

この本の見方

この本は、「❶調べたきっかけ」から「❾まとめ」まで、
9つの項目にわけて、項目ごとにさまざまな視点から
桃太郎について調べた結果を解説しています。

●見出し

何について調べるか、それぞれの項目ごとに、こまかくテーマわけしています。

●わかったこと

調べてわかったことを
まとめています。

●資料

各項目について、
よりくわしい内容や
関連することがらを
図や表にまとめたり、
写真などで示したり
しています。

●引用文

参考にした本から引用した文章です。
（　）内は掲載ページ。

●結論

その時点での結論や
感想、考えたことを
まとめています。

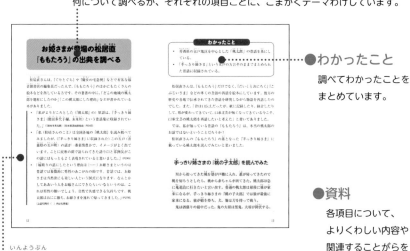

① 調べたきっかけ

『ももたろう』松居直 文　赤羽末吉 画　福音館書店

きっかけになったのは

　私は小学5年生の時に、「桃太郎は盗人なのか？〜『桃太郎』から考える鬼の正体」というテーマで、桃太郎と鬼について調べました。約200冊の本を読みわかったことは、正義のヒーローだと思っていた桃太郎が、怠け者だったり、ケチだったりするなど、色々な桃太郎がいたことでした。ほかにも、江戸時代から明治時代初期にかけての桃太郎は鬼退治に行く理由が書かれておらず、桃太郎は桃を食べて若返ったおばあさんから産まれたことや、明治27（1894）年頃からは、私たちがよく知っている、悪さをした鬼を桃太郎が退治しに行くという理由が付け加えられ、桃太郎は桃から生まれていることになっているということがわかりました。そして、話の内容が時代によって書き換えられ、戦時中の「桃太郎」は、鬼を敵と見立てて、その鬼を桃太郎が退治しに行くという戦意高揚の目的で読まれていたという悲しい事実を知りました。

　私は「桃太郎」の絵本を何冊か持っていますが、その中でも、松居直文の『ももたろう』（福音館書店）の絵本が一番好き！　何度も読み返していますが、つい最近もこの絵本を読んでいたら、今まで気にせずに見ていた絵や文章に「おやっ？」と感じることがありました。

　それは、桃太郎が鬼退治をした後、鬼に「たからものはいらん。おひめさまをかえせ」と言い、宝物を持ちかえらず、お姫さまを連れ帰り、結婚していることです。そのうえ、帰る船の中に2匹の鬼が

『ももたろう』松居直 文　赤羽末吉 画　福音館書店

一緒に乗っているのです。

　私が今まで読み比べた「桃太郎」のお話では、お姫さまを連れ帰っているお話はこれだけ。しかも、船に鬼が乗っている本は読んだことがありません。以前の調べ学習のなかで、「桃太郎」のお話が時代や地域によって異なることを知り、そのなかで、時代によって桃太郎の話の内容が変化してきたことをまとめましたが、日本全国に伝わる「桃太郎」については詳しく調べていませんでした。

　そこで、私はなぜお姫さまを連れ帰ってお嫁さんにしている桃太郎と、そうでない桃太郎がいるのか、なぜ地域によって桃太郎のお話の内容が違うのか疑問をもちました。この２つの疑問について調べてみたいと思います。

　まずは、お姫さまを連れ帰る内容の『ももたろう』の著者である松居直さんの他の著書を探し、調べてみることにしました。

休校になった小６の３月から資料編をつくりはじめ、中１だった2020年の夏休みは、全国各地の「ももたろう」の昔話や民話を読み比べたり、桃太郎伝説について調べたりして、資料編を作成中でした。緊急事態宣言が発令されて、学校が休校になったり、図書館が閉館したりしていたので、１年半ほどかかってしまいました。

　そのような事情から、2021年に、前年とあわせて２年間の調べ学習の集大成としてまとめたいと思うようになりました。それに、学校の学習でもタブレットを使ってまとめたり、パワーポイントを使って発表したりすることが多くなったので、パソコンを使って、「調べ学習作品」にまとめることにしたのです。

　それがこの本になりました。読んでみてください。

2

お姫さまが出てくる「桃太郎」の出典を調べる

野村純一監修『ももたろう　完結版』（守屋裕史画、田原本町観光協会）

お姫さまが登場の松居直『ももたろう』の出典を調べる

　松居直さんは、『ぐりとぐら』や『魔女の宅急便』などで有名な福音館書店の編集長だった人で、『ももたろう』のほかにもたくさんの絵本などを出している方です。その著書の中に、「どこの地域の桃太郎を題材にしたのか」「この桃太郎にした理由」などが書かれている本がありました。

- 「私がよりどころとした（『桃太郎』の）原話は、『手っきり姉さま』（能田多代子編、未来社）という昔話集に収録されていた。」（『絵本をみる眼』（日本エディタースクール出版部）P243）

- 「私（松居さんのこと）は全国各地の『桃太郎』を読み較べてみましたが、（『手っきり姉さま』に収録された）この五戸（青森県の五戸町）の話が一番表情豊かで、イメージがよく出ています。ことに民衆の間で語られてきた語り口と雰囲気がこの話にはもっともよく表現されていると思いました。」（P245）

- 「嫁取りの話にしたという理由は（……）お姫さまというのは昔話では象徴的に男性のあこがれの的です。昔話では、お姫さまは当然世にも美しい人という図式になります。なんとかしてああいう人をお嫁さんにできたらいいなというのは、これは男性の願いでしょう。自然で共感できる気持ちです。桃太郎はおにに勝ち、お姫さまを連れて帰ってきました。」（P276）

（上記引用の（　）内は引用者）

- 青森県の五戸地区を中心とした「桃太郎」の昔話を基にしている。
- 『手っきり姉さま』という五戸の方言そのままでまとめられた昔話に収録されている。

松居直さんは、『ももたろう』だけでなく、『だいくとおにろく』『こぶじいさま』などの多くの昔話の再話を絵本にしています。地方の歴史や各地で伝承されてきた昔話を研究しながら物語を再話したのでした。また、「昔は口伝えだったが、紙に記録したり、録音したりして、形が変わってきていて、口承文芸が無くなってきている今こそ、口承文芸の桃太郎を再話したいと考えた」と書いてありました。

では、私が知っている昔話の『ももたろう』は、本当の桃太郎のお話ではないということだろうか？

松居直さんの『ももたろう』の基となった『手っきり姉さま』に載っている桃太郎を読んでみたいと思いました。

手っきり姉さまの『桃の子太郎』を読んでみた

川から拾ってきた桃を婆が戸棚に入れ、爺が帰ってきたので桃を切ろうとしたら、桃から赤ちゃんが出てきた。桃太郎は急に鬼退治に行きたいと言い出す。普通の桃太郎は最後に雉が家来になるが、手っきり姉さまの『桃の子太郎』では猿が最後に家来になる。猿が槍を持ち、犬、雉は刀を持って戦う。

鬼は酒盛りの最中だった。鬼の大将は黒鬼。大将が降伏する。

命を助けてもらったお礼に鬼は宝物を全部あげた。桃の子太郎は天子様に褒められて、褒美をたくさんもらって爺婆に一生安楽させた。

　物語の最後には、子どもに対してだろうか、桃の子太郎のように大きくなれという文があった。

（能田多代子編『手っきり姉さま』〈未来社〉P27～30）

▌『桃の子太郎』を読んだ感想

　昭和33（1958）年に未来社から発行されている青森県五戸地区の昔話集『手っきり姉さま』の「桃太郎」は、「桃の子太郎」という題名になっていました。五戸地区の方言で書かれているため、読みづらいし、何のことかわからないので、とても難しかったです。山形県出身の母に手伝ってもらって内容を理解することができました。

　すると、松居直さんの『ももたろう』と『手っきり姉さま』には違うところがあるのに気づきました。

　松居直さんの『ももたろう』では、カラスから鬼の悪さを聞いて鬼ヶ島に鬼退治に行くことになっていますが、『桃の子太郎』では、桃太郎は理由もなく、急に鬼退治に行きたいと言い出しています。

　もう一つ違うのは、松居さんの『ももたろう』では、「たからものはいらん。おひめさまをかえせ」と言って、宝物は持って帰ってき

おにのたいしょうは、ももたろうの　まえへきて、てをついて、
おおきな　めから　なみだを　ぽろぽろと　こぼして、
「とても　かないません。どうか　いのちばかりは　たすけてください
いまからは　もうきっと、わるいことはしません」と　いって、
ももたろうに　あやまりました。
　ももたろうは、
「よし、いまから　わるいことしないなら、いのちだけは　たすけてや
おにどもを　ゆるしてやりました。おには、
「おわびのしるしに、たからもの
　みな　さしあげます」と　いって
　　ありったけの　たからもの
　　　だしてきました。

ていませんが、『桃の子太郎』では、鬼の宝物を持ち帰っています。お姫さまは出てこないのです。

　ところが、松居さんは、お姫さまが出てこない青森県五戸地区の「桃の子太郎」を基にして再話したと言っています。本当でしょうか？

　お姫さまが出てくる「桃太郎」が本当にあるのか調べたくなりました。これが、この本の中心テーマとなる、私の「嫁取りの桃太郎話」を探し始めるきっかけになりました。

　そういえば、5年生の時に読み比べをした絵本の中には、お姫さまは出てこなかったのですが、鬼が娘たちをさらい、桃太郎が娘たちを助けるお話があったのを思い出しました。

　日本全国にある「桃太郎」を読んでみれば分かるかもしれないと思い、図書館へ「桃太郎昔話」を探しに行くことにしました。

　しかし、いくら探しても、絵本作家のおざわとしおさんや稲田和子さん、松谷みよ子さんなどが再話された「桃太郎」の話しかなく、そこにはお姫さまが出てきませんでした。私が探している「桃太郎」の昔話や民話は見つからなかったのです。そこで母に相談することにしました。

　すると、母の知り合いに國學院大學で民俗学を研究している人がいると教えてもらったので、訪ねることにしました。山口和晃先生という千葉県立の学校で勤務されている先生でした。

もたろうは、
……からものは　いらん。おひめさまを　かえせ」と　いいますと、
……は、「はいはい」と、おひめさまを　かえしました。

『ももたろう』松居直 文　赤羽末吉 画　福音館書店

15

『日本昔話大成』からお姫さまが登場する「桃太郎」を調べる

　採集された昔話をまとめてある良い本があるよ。

　角川書店から出版されている関敬吾さん（民俗学者で東京学芸大学の先生などをされていました）が書いた『日本昔話大成』という本を読んでみるといいよ。色々な桃太郎のお話があって面白いと思うよ。

　まとめる時は、地域別にしてみると、系統性が出てわかりやすいかもしれないね。（山口和晃先生）

2021年7月30日　君津市立中央図書館にて　母撮影

山口先生から教えてもらってすぐ、袖ケ浦市立中央図書館へ行き、『日本昔話大成』（全12巻）を借りることができました。「桃太郎」が載っている本は、『日本昔話大成』の第3巻で、他にも「一寸法師」「力太郎」「藁しべ長者」などの有名な昔話が53話ありました。

　本を開くと、凡例があり、「明治末年から昭和51年末までに直接昔話の語り手から採集されたもの」と書かれていました。口伝えで伝わった口承の昔話を地域ごとに、南は鹿児島県（沖永良部島）から北はアイヌまでの「桃太郎」がわかりやすくまとめてありました。昔話ごとの最後には、それぞれのお話の説明や注釈があり、全国に伝わっている昔話をわかりやすく説明しているので、読みやすく、とても面白かったです。

　ただ、本文が省略されていたり、掲載されていなかったりした「桃太郎」があり、最後まで読むことができないものもありました。そこで、昔話を読むために図書館で本を借りることにしました。

　千葉県富津市の桃太郎のお話の内容は掲載されておらず、「富津（5）」とだけ書いてありました。

持ち帰って、爺と婆を楽々と暮らさせる。（吹谷・六二）

伝文三（1）黒姫昔（1）
神奈川県　神奈川一（1）
東京都　○小金井市──婆が川で桃を拾って帰る。戸棚にしまっておき、山から帰った爺と割ると小僧っ子が出る。魚籠に日本一の黍団子を入れ鬼が島へ宝探しに行く。蟹、立臼、糞、蜂、卵、水桶が黍団子をもらって家来になる。それぞれの役割を果たして鬼を退治し、宝物を持って帰り爺婆を喜ばせる。（七四ページ参照）（昔研・二一四八）

千葉県　富津（5）
埼玉県　○南埼玉郡──婆が川で桃を二つ拾い、一つを持って帰って重箱に入れておくと桃太郎が生まれる。発端のみ。（埼玉郷研・一一七）　○所沢市──爺婆が神に子供を祈願し、爺が川辺で眠っていると神様が現われ川上に行けと教える。桃の木に実がなっている。杖で落とすと川に落ち、これを婆が拾う。後は一般のとおりだという。（川越・二）　○狭山市──老夫婦が桃を食べ急に若くなり男の子を生む。発端のみ。（埼玉郷研・一二六）　○

（『日本昔話大成3』P80）

『日本昔話大成3』の巻末にある本文略号資料目録から「富津（5）」を探すと、「富津町の口承文芸　富津町教育委員会」という本だということがわかりました。袖ケ浦市立中央図書館の司書さんに相談したら、千葉県立中央図書館に1冊だけ蔵書があることを教えてもらい、本を借りて読みました。他の県のものも、同じようにして本を探して読むことができました。それらは参考文献として、内容や読んで感じたことも含めて書き込んで「資料編」の中に入れています（ただ、この本にはページに余裕がなかったため、「資料編」は収録できませんでした）。

　小学6年生だった2019年3月の休校中から、全国各地の「ももたろう」の昔話を読み比べ、ようやく約2年かけて2021年の夏休み中に「資料編」を完成させることができました。

　「資料編」にまとめてみると、地域によって内容が全然違うことに気づきました。その中から、①桃太郎の生まれ方　②桃太郎の人物像　③鬼ヶ島へ行く理由　④鬼から取り返した宝物　⑤桃太郎昔話の5つに分類し、それらを詳しく考えていこうと思います。

3

日本全国の昔話「桃太郎」を読み比べる

関敬吾著『日本昔話大成』（角川書店）

①桃太郎の生まれ方……桃太郎がどのように、どこから生まれるか

桃から生まれる……ピンク　　　桃を食べて若返った爺婆…緑

箱………………………青　　　もとから生まれている……赤

巾着………………………紫　　　その他・載っていない……オレンジ

箪笥・戸棚…………茶

ちびむすドリル　小学生　白地図（日本地図）・都道府県名入り

https://happylilac.net/sy-sirotizu.html

わかったこと

- 東北地方は箱や、戸棚から生まれるものが多い。
- 中国地方では桃や、既に生まれているものが多い。
- 婆が若返って桃太郎が生まれたのは香川県と埼玉県しかない。
- 近畿地方と九州地方は話が少ない。
- 新潟県には雉の卵から生まれる雉の子太郎がいた。
- 桃ではなく、人形が流れて来たり、捨ててあった子どもを拾ったり、桃がまったく関係のない話もあった。
- 民話「さるかに合戦」のように柿の種を植える話もあり、それは「蟹の仇討ち」型の話だった。

アイヌ、新潟県（一部）、熊本県天草郡以外の「桃太郎」の話では、何かしら桃が関係していました。川から桃が流れてくる以外にも、箱の中や袋に桃が入っていたり、婆の腰元に桃が流れてきたりするなど、桃から生まれなくても、桃太郎が生まれる際には、なんらかの形で桃が登場しているのです。驚いたのは、桃太郎の服が桃の柄などになっていて、こじつけ的な桃の扱い方をする昔話まであったことです。

私も含め、現代の子どもたちは、桃太郎は「桃から生まれる」というイメージが強いのですが、そのように生まれなくても、これらの例のように、桃が共通して登場してくるのです。

しかし、どうして、桃なのでしょうか？

なぜ桃なのか？　本で調べてみた

調べていくと、滑川道夫さんが書いた『桃太郎像の変容』（東京書

籍）とおかやま桃太郎研究会という団体が編集した『桃太郎は今も元気だ』（吉備人出版）という本に出会いました。滑川さんは東京教育大学の先生で、この本は毎日出版文化賞という賞を取っていました。

- 「『桃』には、邪気を払う魔力があるというのは、日本では古事記神話にもすでにある。」（『桃太郎は今も元気だ』P34）
- 「伊弉諾命が桃の実三個を投げて危難をのがれる。」（P34）
- 「桃源郷には三千年に一度花が咲き、その三百歳の長寿を保つ桃の花酒もあるといわれている。」
- 「中国では大昔から桃は伝説の仙果であり、不老長寿の薬効を持ち、邪気を払って百鬼を制する特別な霊果とされている。」（P40）
- 「『桃源郷』は桃の花咲く脱世間の理想郷であって仙女が住んでいる。」（『桃太郎像の変容』P47）
- 「桃は、人体のモモ（股）であるとか、女陰を象徴したものであるといった説も古くからある。」（P6）
- 「木偏に兆と書いて桃。億兆と実がなり、すべてが実り栄えるということに繋がっている。」（『桃太郎は今も元気だ』P41）

　これらの本で書かれていたように、桃太郎が桃から生まれるのにも理由があり、昔からそうした話があることに驚きました。そこでは、桃は神聖なものであり、不老長寿の薬効をもち、邪気を払う魔力があると考えられていたことがわかりました。

　また、桃が股や女陰を表しているとすると、出産に関わっていることがわかります。桃の実を三個投げて危難を逃れるのはやはり、桃が持つ魔力が発揮された場面ではないかとも思いました。桃にこんな不思議な力があるなんて聞いたことがありません。また、私たちが普段食べている桃と同じものなのでしょうか？

　そんな疑問をもちながら、2021年の夏休みに、山梨県の大月市の

桃太郎伝説を巡りました。その際、「桃太郎伝説発祥の地」とされる奈良県の田原本町から譲り受けたという古代桃（写真にある私の後ろの木）を見せていただきました。桃太郎のお話ができた頃（室町時代～江戸時代）の桃だそうです。

2021年7月28日　山梨県大月市郷土資料館にて　母撮影

その時に宿泊した笛吹市付近は一面が桃の木でいっぱい。ちょうど桃の収穫の時期で、そんな美味しそうな桃と見比べると、古代桃

2021年7月30日
自宅にて　本人撮影

の木は想像以上に小ぶりで驚きました。実も小さく、桃というよりは、梅の実ぐらいの大きさ。一円玉2枚分くらいで、長さにすると、約4センチでした。

こんな小さな桃から、本当に桃太郎が生まれたのだろうか？　生まれたとしたら、一寸法師と同じくらいの大きさなのでは？　たとえ、空想のお話だとしても、こんな小さな桃の実から生まれたら、小さい桃太郎だったはずです。

ところが、民話・昔話では、大きく強く成長する桃太郎話が多いのです。とすると、お婆さんが若返ったという「回春型」の話の方が現実的ではないだろうかと、疑問が膨らみました。

箪笥・戸棚・長持など、なぜ箱＝空洞に関係しているのか？　本で調べてみた

「生まれ方」を色分けした20ページの日本地図でその分布を見てみ

ると、青（箱）・茶色（箪笥・戸棚）が多いことがわかります。特に、東北地方では、桃太郎は桃から生まれるよりは、箪笥、戸棚、長持などの箱から生まれている話が多いのです。県別で見ると、次のような特徴があります。

青森	きれいな箱
岩手、山形、愛知、岐阜	赤い重箱　黒い重箱
福島	軽い箱、重い箱
埼玉	重箱
秋田、山梨、長野	実のある箱、実のない箱
秋田	赤い箱、白い箱
福島	赤い手箱、黒い手箱
新潟、福島	香箱
青森	箪笥
岩手	戸棚

箱は箱でも、いずれも、赤、白、黒などの色や、軽い・重い、実のある箱、ない箱などで表現する言葉が入っています。また、箱で拾ってきて、戸棚や箪笥などの違う所に入れて保管しておく話も多いということが分かりました。

さらに、箱が流れてくるお話や戸棚や箪笥というお話も、なぜか東北地方に多いのにも気づきました。それは、なぜなのか？　調べてみることにしました。

でも、なかなか分かりません。しかし調べていくうちに、場所は東北でなかったのですが、恵那地方（岐阜県）の話をまとめた『恵那昔話集』（大橋和華編、岩崎美術社）という本を発見しました。そこには、次のようなことが書かれていました。

- 「箱のような中の空洞なものにはとかく神霊が宿る信仰のあることは、柳田國男先生もいろいろ説かれており、『うつぼ船』という木を刳って作った独木船に入れられて流れついたと説く神出現の縁起譚は全国に少なくない。」（『恵那昔話集』P356）
- 「山の彼方の常世といわれる他界から川によって小さ子が物に籠って出現したのが桃太郎の原形かもしれない。」（P356）
- 「異郷＝理想郷（……）として日本化して、桃の流れよる説話となったのであって、元来、神が小さなものに籠って異郷から訪れ来る形」である。（P356）
- 「桃太郎の婆は小さ子を霊界＝他界・浄土・常世からこの世にもたらし、人々を幸福にする巫女でもあったわけである。」（P356～357）

　『恵那昔話集』に書かれていることは、昔から空洞があるものには、神霊が宿ると信じられていたということです。私がこれまでに読んできた「空洞のものから生まれるお話」は、瓜子姫、桃太郎、かぐや姫など、特別な能力をもったものばかりでした。

　また、川は他界と思われ、不思議なものはすべて山の彼方の川から流れてきて、船などに乗って来るという話になるのだと思います。そして、それが神だというのです。

　とすると、桃太郎は神なのか？　桃はもともと中国にあったと言われています。だから、桃太郎がいたのは、外国＝異郷としてとらえてもいいのかもしれません。

　神が小さなものに籠って異郷から来る。『恵那昔話集』の例と「桃太郎」は似ています。やはり、昔は川などの異郷から来る小さくて空洞のあるものは、神が籠っていると信じられていたのだと思いました。

　箱などから生まれるという話は東北地方に多かったと書きましたが、桃太郎や瓜子姫などのように果物から生まれるものも、中は空

洞になっているものが多いのです。『恵那昔話集』にあった「空洞なものには、神霊が宿る信仰」の文に納得がつきました。

　しかし、桃から生まれている時点で、人ではなく、神だとすると、他の世界から川を通じて桃が流れて来たということか。そうなら、鬼退治をして村の平和を守っている桃太郎を産み育てた婆は、巫女と呼んでもいいのかもしれない。

　鬼ヶ島から持ち帰ってきたものが、村の宝物やお姫さまかは別にして、村へとても貢献した人物＝桃太郎を産んだということになります。

　別の話になりますが、「かぐや姫」にも同じことが当てはまります。育ててくれた爺婆に金貨を与え、優雅な生活をおくれるようにしたのですから。「小さいものは神」というのは、合っているのかもしれません。

　そのようなことが『恵那昔話集』から分かって嬉しかったのですが、「なぜ、東北地方には箱が流れてくるお話が多いのか」という、もう一つの謎は解けないまま。これからの宿題にしたいと思いますが、次から見ていく「人物像」や「鬼ヶ島に行く理由」「宝物」でも、地域によって違い、なかには「地方的な偏り」もありました。

　それらの特徴を私なりにまとめながら、「それがなぜなのか？」を考えていきたいと思います。

「桃太郎の生まれ方」の現時点の私の結論

○桃は昔から邪気を祓い、不老長寿の薬効があるとされていた。桃から生まれることで人ではなく、神となる。

○箱や果物など、空洞があるものには神霊が宿るとされ、異郷から小さ子が籠って流れつくという、昔の人々の考え方が影響を与えている。

②桃太郎の人物像……桃太郎の性格や育ち方

賢い………………ピンク　　　一般………………………茶
力持ち………………青　　　大きくなる・成長する…オレンジ
寝てばかり・怠け者…紫　　　その他・載っていない…緑

わかったこと

- 東北地方や新潟県に、大きくなる、成長する、力持ちの桃太郎話が多い。
- 中国・四国地方は働かずに怠け者で、何もしない「寝太郎」のような話が多い。
- 賢くて力持ちの桃太郎が、東北や新潟には多いけれども、全国的には少ないことに驚いた。
- 変わったものには、甘酒で育つ桃太郎や、桃が犬の仔になるもの、婆が笑って死んでしまう話もあった。
- 山へ行って大木を担いで帰り、爺婆が家の下敷きになって死んでしまう話もあった。

　前ページの色分け日本地図を見ると分かるように、東北地方の桃太郎は、「大きくなる・成長する」が多く、中国・四国地方の桃太郎は、「寝てばかり・怠け者」が多いという違いがあります。地域によってこんなに違うのは、どうしてなのだろうか？　本から調べてみようと思います。

東北地方に、大きくなる・成長する・力持ちの桃太郎が多いのはなぜか？

　この疑問に答えてくれたのは、関敬吾さんがまとめた『日本昔話大成3』でした。

　関さんはそこで、「桃太郎童話は、(……)力太郎の昔話の変形、童話化したもので、力太郎を媒介することによって比較研究が可能となる」(同書P85)と述べています。『日本昔話大成3』には、日本全

国の力太郎昔話が掲載されていますが、関さんによれば、「力太郎の分布は、ほとんど東北地方に限られている」(同前P59)とのこと。つまり、力太郎は、東北地方にしか伝承されていないとのことです。

　この力太郎の原型は、爺と婆のこび（垢）から生まれたので「こんび太郎」と呼ばれたり、すね（脛）から生まれたから「すねこたんぱこ」などと呼ばれたりする子どもが主人公の話です。

　面白かったのは、岩手県和賀郡に伝わる「こんび太郎」で、「一升飯食わせれば一升だけ、一斗飯焚けば一斗だけ、ずんがずんがと育ち、力持ちになる」(同前P51〜54)ということでした。

　お話の最後は、仲間と一緒に長者の娘を助けるために化け物を退治し、その娘と結婚するということになります。

　柳田國男さんも滑川道夫さんも、桃太郎の昔話は、鬼ヶ島征伐の冒険的行為のなかに「力太郎」の説話が見られると解釈をしています。

　ということは、「力太郎」の話が口頭伝承として、祖父母や両親から口伝えで伝わり、「桃太郎」へと変化していったのではないだろうか。だから、「大きくなる・成長する・力持ち」の桃太郎話が東北地方に多いのではないかという考えが私の結論です。

　しかも、松居直さんの『ももたろう』での桃太郎の育ち方が、「1杯食べると1杯だけ　2杯食べると2杯だけ　3杯食べると3杯だけ大きくなる」という部分が、先の「こんび太郎」とそっくりだったことも、楽しい発見でした。

中国・四国地方に、怠け者、寝てばかりの桃太郎が多いのはなぜか？

27ページの白地図の紫（寝てばかり・怠け者）の点を見てください。島根県、岡山県、広島県、香川県、徳島県などの中国・四国地方に、怠け者、寝てばかりいる桃太郎が多く伝承されていることが分かります。この桃太郎の話を、関さんは「山行き型（寝太郎型）」と分類しています。

「山行き型」の桃太郎は、「仕事するための道具ごしらえをさせても手が遅く、仕事に間に合わない。仕事に行っても寝るばかりであるが、最後になって大力を発揮する」（同前P92）ということです。

寝太郎のような男が、突然大力を発揮するという昔話は、中国・四国地方にたくさんあるようです。岡山県には、大力だけど一見愚かに見える主人公が、村の危急の際には、それまでとは違って、村を助けるなどの大きな働きをするという昔話があり、複数伝わっていると言います。

東北地方の「力太郎」と同じように、中国・四国地方には、「怠け者・寝太郎」のような主人公の昔話が「桃太郎」へと変化したのではないか、愚かな男が、村の危急の時に、それまでとは違って大きな働きをする（＝鬼退治）につながったのではないでしょうか。

22ページで紹介した『桃太郎は今も元気だ』で、岡山県の民話を研究している立石憲利さん（岡山民俗学会名誉理事長・日本民話の会会長もされています）は、「多くの大力持ちの伝承が、桃太郎に山行型の性格を与え、話を成長させたのではないかとも考えられる」（P98）と述べています。

しかし、怠け者で働かない男というのは、私の想像する英雄・桃太郎像からはど遠い。私が『桃太郎は盗人なのか？』（新日本出版社）

で「村の人々を守る正義の味方だと思っていた桃太郎が盗人!?」(P6)と疑問に思ったように、すごいイメージダウンです。しかし、「寝太郎」にしても、同じように昔話に出てくる「大清左」「新左」「臼の九郎兵衛」も、普段は働かず寝てばかりいるのに、急に水田を作ったり、洪水を止めたり、石橋を止めたりするなど、村の民の危機を助ける英雄になっています。その英雄像が、桃太郎の話につながったのではないか。

　どちらかと言うと、欠点のない桃太郎より、こちらの桃太郎の方が身近に感じてしまうのは私だけなのでしょうか。

　(以上の内容は、『桃太郎は今も元気だ』のP89〜98を参考にさせていただきました)

「桃太郎の人物像」の現時点の私の結論

○東北地方には桃太郎の話とは別に力持ちな男の子が主人公の昔話がある。

○中国・四国地方にも桃太郎の話とは別に怠け者で寝てばかりの男の子が主人公の昔話がある。

○それらの地域に伝わっている英雄型の話と「桃太郎」の話が結びついたということだろう。

③鬼ヶ島へ行く理由……鬼ヶ島に 行く理由や行き方

鬼が悪さをする………ピンク　　一般…………………………茶
桃太郎が急に言い出す……青　　物を探しに行く…………緑
誰かに命令される…………紫　　その他・載っていない…オレンジ

わかったこと

- 姫や娘を助ける（連れ帰る）のは2話あった。
- そもそも鬼退治にいかない桃太郎もいた。（鬼退治に出掛けたが、それが載ってないだけかもしれない）
- 理由ははっきりしないが、全体的にただ宝物を持ち帰るものが一番多い。

画・守屋裕史

お姫さま…………………赤　　その他……………………………緑
打ち出の小槌など…青　　載っていない・行っていない…オレンジ
一般…………………茶　　宝物………………………………ピンク

ちびむすドリル　小学生　白地図（日本地図）・都道府県名入り
https://happylilac.net/sy-sirotizu.html

わかったこと

- お姫さまを連れ帰っているのは2話あった。
- 竜宮様（「竜宮城」ではなく、「竜宮様」と書かれている）で玉手箱をもらう浦島太郎に似た話があった。
- 鬼の牙や生き肝など、宝物ではないものを持ち帰っている話もあった。
- 宝物を持ち帰っているのは40話あった。
- 金銀珊瑚や打ち出の小槌を持ち帰っているのは5話あった。

画・守屋裕史

分類しながら読み比べて驚いたこと

①私が読んだなかで驚いたのは、爺婆を桃太郎が殺してしまう昔話でした。徳島県、香川県の「桃太郎」は、桃太郎が大木を引き抜き、置く場所を探したのですが、見つからないので家に立てかけておくことにしたのです。すると、大木の重みで家が崩れてしまい、爺婆が下敷きになって死んでしまったのです（事故と言えるかもしれませんが）。爺婆は、大きくなるまで育てたのに、まさかその桃太郎に、結果的に殺されてしまうなんてかわいそうだし、英雄とは程遠い桃太郎像です。驚きました。

②鬼ヶ島に行く理由で、鬼退治ではなく、鬼の牙を取りに行ったり、鬼の生き肝を取りに行ったりしている桃太郎がいたことでした。鬼から宝物をとるのではなく、鬼の体の一部を取りに行くこの桃太郎は、一般の桃太郎の話と、だいぶ違います。

　鬼の牙を取りに行った桃太郎は、石川県江沼郡と山中町の桃太郎です。他人に迷惑をかける桃太郎が、爺と隣の家の人に、鬼の牙を取りに行け、と言われ、鬼ヶ島へ行くのです。お供になるのは、柿太郎とからすけ太郎。2人をお供にして、せっかく鬼の牙を獲得したのに、風が吹いて鬼の牙を海に落としてしまうのですが、江沼郡の桃太郎は死のうとし、山中町の桃太郎は、探しても見つからないのでお供も連れて3人で海にはまって死にます。

　鬼の生き肝を取りに行った桃太郎は、島根県八束郡の民話でした。桃太郎は、籠や背負い網、わらじ作りに3日もかけるほどの怠け者の横着者。もしかしたら、桃太郎のせいで婆が腰痛になってしまったのではないかと思うほど、桃太郎は何もしないし手伝いません。けれども、婆の腰痛を治すためにはと、鬼の生き肝を

取りに鬼ヶ島に行くことになります。そして、生き肝を鬼から取り、婆に持ち帰る結末でした。

　生き肝とは、生きている鬼から心臓などの臓器を取ることだと考えると、こちらの桃太郎も残虐な桃太郎だと感じました。

③誰かに命令されて鬼退治に行く桃太郎にも驚きました。一般の桃太郎は鬼が悪さをしていたり、桃太郎が急に鬼退治に行きたいと言いだしたりして、桃太郎が自分から鬼退治に行っています。

　ところが、命令された桃太郎は、殿様や怒った隣の人（木を倒して家を破壊したため）、爺に行けと言われ、鬼退治に行っているのです。

　とは言え、一番多いのは「桃太郎が鬼退治に行きたいと言い出す」というもので、次いで「鬼が悪さをするから」です。それらは一般に知られている桃太郎でした。

　持ち帰る宝物も、やはり知られているとおり、打ち出の小槌や大判小判、金銀財宝などの宝物が一番多かったです。

④持ち帰ったもので驚いたのは、前述した鬼の牙や鬼の生き肝だけでなく、お姫さまや娘までも鬼から取り返していることでした。岡山県奥備中の「桃太郎」では、竜宮様からもらった「玉手箱」が宝物になっていました。鬼ヶ島には行かず、竜宮様の所へ行くあたりは、「浦島太郎」を想像するようなお話です。また、そもそも鬼ヶ島にも行かず、宝物を持ち帰らない話もありました。

ここまで見てきたように「桃太郎」は、何らかの理由があって鬼ヶ島へ行き、宝物を取り返す、または取るというような昔話になっていると思うのですが、民話では、鬼ヶ島に行く理由と宝物は、少なくともイコールになっていない場合があると感じたことは、大きな発見でした。

鬼ヶ島に行く理由や宝物が地域によって違うのは、なぜか？

もっとわかりやすく比べるために、鬼ヶ島に行く理由を話数の多い順番で並べてみたいと思います。

鬼退治に行く理由	話数
桃太郎が鬼退治に行きたいと言い出す	22話
鬼が悪さをするから	8話
大きくなり、黍団子を持って鬼退治に行く	7話
人に鬼退治に行けと言われる	3話
鬼の牙を取りに行く	2話
嫁を探すため	1話
鬼が黍団子を欲しがるから	1話
婆の腰痛を治すため鬼の生き肝をとってくる	1話
親を探しに行く	1話
大江山の鬼退治	1話
海賊退治に瀬戸内海を進んでいた	1話
鳶に教えられた	1話
竜宮様へ行く	1話
烏から鬼が黍団子を所望している手紙が届く	1話

これは、この本には収録できませんでしたが、本書（「本編」）をまとめるために作った「資料編」に入れた「読み比べリスト」の「桃太郎話」を基にして数えています。

以上のように、理由は様々なものになるのですが、地域によっても偏りがあることも感じてきました。

　そのことを考えるために、私が「桃太郎」の話のなかで一番好きな松居さんの『ももたろう』と似ているところがあり、姫（娘）を嫁にしている話（嫁取りの話）は、私の知る限り福島県双葉郡の「桃太郎」1つだと思われます。詳しく見てみたいと思います。

　このお話は、お嫁さんを探すために鬼ヶ島へ行く物語になっています。お嫁さん、つまり女の人を得るために、鬼ヶ島へ行くのです。人である姫や娘を宝というのはおかしいとも思いますが、結果的に、姫や娘を助けて連れ帰る話は、福島県双葉郡と岩手県紫波郡の2つあります。

　また、双葉郡のお話では、鳶に教えられたり、烏から鬼が黍団子を所望している手紙が届いたりしているのですが、そこは松居さんの『ももたろう』にとてもよく似ています。『ももたろう』でも烏が鬼の悪事を桃太郎に伝え、それをきっかけに鬼退治に出掛けます。

　しかし、松居さんが『ももたろう』の絵本を書くにあたって基にしたという青森県の五所地区の『手っきり姉さま』（本書12〜15ページ参照）は、類似点はあるものの、岩手県の紫波郡と福島県双葉郡の「桃太郎」の方が似ていると思いました。松居さんは『手っきり姉さま』の「桃の子太郎」と紫波郡と双葉郡の3つの桃太郎を参考にして書いたのではないかと、私は考えました。

　このように昔話は、同じ地域や隣り合うような近い地方の話が影響し合って作られていくのではないか。

　同時に、日本全国に広がると、鬼ヶ島に行く理由が鬼退治だったり、鬼の持っている宝を取ってくる話が大多数であっても、それらが違ってくるのではないか。

　また、持ち帰ってくるものは、桃太郎や村の人にとっては、命を

かけてでも手に入れたい貴重な物だということでは共通しているのではないか。

　そのようなことを考えながら、地域によって、昔話によって、どうして、そのような違いや共通性が生まれてくるのだろうかと思いました。

　そこで、また、本で調べてみることにしました。

桃太郎噺の中に「庶民の願望がある」とあった！

① 「金持になりたい」「美しいお嫁さんを貰いたい」「経済的にゆとりのある越年をしてみたい」「武士になってみたい」など、桃太郎噺の中に「庶民の願望」がある。（滑川道夫著『桃太郎像の変容』P547）

② 「子どもに対する願望が、昔噺の教育性として出現していく。桃太郎昔噺全体から母親たちは、桃太郎のような強い子を生みたい、桃太郎のような明朗快活な強い子に育てたいという願望をもつようになる。明治から大正にかけて、桃太郎の生命力の発現が育児の理想像になっていく。唱歌の『気はやさしくて、力持ち』が歌われるようになると、『やさしさ』も理想像となって、『強くやさしい』のが桃太郎の性格としてイメージされてくる。」（P549）

　先ほど書いた私の疑問や予測をもちながら、改めて読んだ滑川さんの本＝『桃太郎像の変容』のなかに、この２つの文章がありました。「庶民の願望」という言葉に目が引きつけられました。

　また、滑川さんはこの本のなかで、「伝承説話の昔噺（民話）では、ごくしぜんな素朴な形で、それぞれの時代の生活を背景にした、生きていく知恵やそうありたいと願望が浮き沈みしている」（同前P550）とも書いていました。

　確かに、金銀財宝を得れば、爺婆と楽に暮らせ、豊かな生活ができると思います。姫や娘と結婚すれば、子孫繁栄をし、安定した暮らしができるでしょう。だから、滑川さんが言うように、庶民的な普

通の幸せを得るために鬼ヶ島へ行き、宝物として得るという話になっているのも納得です。こんな生活がしたいという願いが昔話には込められていることがわかりました。

　また、"祖父母や両親が子どもの話し手になれば、子どもへの期待や願望が含まれて語られるので、ひろい意味での教育となっていることが分かる"（同前P550）とも書いています。

　また、"「桃太郎は親孝行をしたっけど」などと、「爺さん婆さんがとても喜んだことが強調されて（昔話が――引用者）終わるのは、爺さん婆さんを喜ばせるようにしてほしい、桃太郎のように親孝行してほしい、という祖父母の願望」がある"（同前P549）とのことでした。

　私は、小学5年生の調べ学習「桃太郎は盗人なのか～『桃太郎』から考える鬼の正体～」で、「桃太郎」が鬼退治に行く理由が時代によって変わっていくことを調べました（2018年度「図書館を使った調べる学習コンクール」にこの作品を発表後、新日本出版社から同じ書名で刊行されました）。

　その学習を通じて、私は、日本全国の民話も、昔話と同じで時代によって変化してきたのではないかと考えるようになりました。滑川さんが述べているように、「桃太郎」に「庶民の願望」が入っているのであれば、時代によって、願望も変わるし、大切なものも変わってくるだろうと思います。

　また、時代だけではなく、地域や話し手が違うと、その分だけ願望や桃太郎の理想像、宝物も同じように変化するのではないでしょうか。そこで、現時点での私の結論を出してみたいと思います。

桃太郎が鬼ヶ島に行く理由と宝物についての現時点の私の結論

①時代によって民衆の願望が変化してきた。

②地域の方言などから違いが出た。

③他の昔話・民話と結びついた。

　ただ、爺婆を殺してしまったり、鬼の牙を落として自ら海に入り死んでしまう桃太郎もいたわけですから、それらを「庶民の願望」と呼べるのか疑問です。そうではないと、私は思うのです。

　この第3章では、宝物と鬼ヶ島へ行く理由を調べてまとめたので、いま言った「最低最悪な桃太郎」については、次の第4章「全国の桃太郎話を分類する」のところで考えていきたいと思います。

よつば コラム

暮らしの中に生きる桃太郎
〜祖父の話から考えたこと〜

　「桃太郎」の昔話は、北はアイヌから南は鹿児島県（沖永良部島）まで日本全国にあることがわかり、ほんとうに驚きました。

　それも、桃太郎昔話は地域によって、生まれ方や鬼退治に行く理由、宝物が違っていたり、「猿蟹合戦」や「花咲か爺さん」「寝太郎」「力太郎」などの昔話には、それぞれのなかに似通った桃太郎昔話があることに気づいたりと、全国の「桃太郎」を読み比べるのは、とても面白かったです。

　これまでにも、言い訳ばかりで何もしない怠け者の桃太郎や、力持ちで賢い桃太郎の話があることは知っていましたが、お爺さんお婆さんを殺してしまう残虐な桃太郎や便所の桃太郎、猿雉犬をお供にするのではなく、柿太郎・からすけ太郎をお供にする桃太郎、桃から生まれたのは男の子ではなく女の子が主人公の話、鬼退治に行かないどころか、鬼が出てこない桃太郎の話があることは、今回の「調べ学習」で初めて知りました。

　私の「資料編」には、『日本昔話大成』に掲載されていない地域の桃太郎昔話も入れています。その中でも衝撃だったのは、福島県の「お便所桃太郎」です。

　71歳の私の祖父に「桃太郎の昔話を、お父さんかお母さんから聞いたことある？」と聞いたところ、「ばんちゃによー、お便所の桃太郎の話を聞いだごど、ある！」というのでした。祖父の出身は、福島県塙町。「ばんちゃ」というのは、祖母のことだそうです。つまり、祖父の祖母というと、明治時代か江戸時代生まれ!?　そんな時代に、「お便所の桃太郎なんてあるわけない」と思いながら、袖ケ浦市立中央図書館にリクエスト本の相談をしてみました。すると、驚いたことに、福島県東白川郡・石川郡の昔話集を国立国会図書館から借りることができました。

読んでみると、祖父の言う通り「お便所の桃太郎」があったのです！しかも、屋根の葺き替えをしていたお爺さんが、何かのトラブルで便所に落ちてしまう、それで汚れてしまった服をお婆さんが川で洗濯しているというお話でした。なんとも笑える話です。この話を祖父に電話していたら、そばにいた祖母が急に「桶に板を２枚挟んだだけのトイレで、おじいちゃんの実家に行くのが本当は嫌だった」と告白！　祖父が「そうだったのか？」と驚き、大笑いしていたのが忘れられません。

　祖父の家は、農家でいくつも山を持っているそうですが、私は一度も行ったことがありません。それだけにイメージできませんでしたが、桶に板を２枚挟んだだけの便所というのが気になったので、インターネットで調べ、その写真を見せて確認してもらったところ、「これ！」だとのこと。祖母が「おしっこはいいんだけど、大便をする時、はねてすごく嫌だった」と言っていたのも、大笑いでした。

川崎市立日本民家園　旧工藤家住宅外便所

　この便所に、桃太郎のお爺さんが落ちるなんてことがあるのだろうかと祖父に聞いたら、これまた衝撃。「じいちゃんもよ、便所さ、落ぢだごど、何度もある」と言うのです。子どもの頃、便所から集めた便や尿を畑や田んぼに運ぶのを手伝っていたそうですが、昭和25（1950）年生まれの71歳の祖父から、まさか、こんな面白い桃太郎の話を聞けるなんて驚きでした。

　なんと、『日本昔話大成』にも掲載されていない桃太郎を発見だ!!　と、万歳したい気持ちもあるし、こんな面白い昔話を見つけられて（教えてもらって）うれしかったです。

　さて、話を戻します。

　「桃太郎」の昔話は、日本全国に散らばっていますが、色々な内容のお話になっている上、あまりにも統一性がないことに気づきました。そこで、次に桃太郎の話を系統別に分類して確かめてみようと思います。

4

全国の桃太郎話を
分類する
〜5つの観点から〜

桃太郎の
生まれ方

鬼ヶ島へ
行く理由

桃太郎の
人物像

鬼から
取り返した
宝物

桃太郎話の
分類

桃太郎昔話の分類

　30ページで紹介した日本民話の会会長で日本桃太郎会連合会会長でもある立石憲利さんによると、1979年時点で公刊されていた昔話資料を網羅している『日本昔話通観』を基にして、「桃太郎」でも内容が異なる話を型に分けて分類すると、255もの「型」があると言います。

　私は、『日本昔話大成』を基にして読み比べをしましたが、それは発行年が1978年です。『日本昔話通観』の方が新しく、伝承された昔話をより多く収載されているようです。だから、私が読んでいない「桃太郎」もたくさんあると思います。

　「桃太郎」は、「一般型（鬼退治型）」と「山行き型」の二つに大きく分かれ、「一般型」と「山行き型」の違いは、成長の場面が詳しくなっているそうです（次ページに、枠に入れてそれぞれの特徴を示しました）。第3章の②「桃太郎の人物像」のところで、「寝太郎の桃太郎」について述べましたが（本書28ページ）、中国・四国地方に多い寝太郎桃太郎こそ、「山行き型」の桃太郎です。

　「山行き型」は、次ページの枠内の③以降の話が乏しくなっていて、①、②で終わる話が多いとありました（おかやま桃太郎研究会編『桃太郎は今も元気だ』P71、89〜90による）。

一般型（鬼退治型）	①桃の中から男児が誕生。 ②成長して鬼退治に行く。犬、猿、雉にきび団子を与えてお供にする。 ③犬、猿、雉の援助で鬼を退治し、宝物を持ち帰って幸せに暮らす。
山行き型	①桃の中から男児が誕生。 ②友人が山行きに誘うが、道具ごしらえに手間取る。山に行っても寝るばかりだが、起き上がって大木を引き抜いて持ち帰る。 ③殿様に大力を見出されて、鬼退治に行く。犬、猿、雉にきび団子を与えてお供にする。 ④犬、猿、雉の援助で鬼を退治し、宝物を持ち帰って幸せに暮らす。

　一般型は、みんなが知っている標準型の桃太郎と言えると思います。しかし、一般型の桃太郎のお話こそ、桃から生まれ成長してからの後が大きく違っている話が多いのです。私が日本全国の民話「桃太郎」を読み比べた際、「浦島太郎型」（本書55ページ）や「お便所桃太郎型」（本書44ページ）など自分で勝手に命名してしまいましたが、それら以外にも色々な型があると思われるので、複数の本から調べることにしました。

逃鼠譚型
（姫を救出する）

①桃の中から男の子が出生する。恙無く成長する。

②主人公の元に地獄から手紙が届く。

③それを受けて主人公は出立する。

④携えて来た黍団子で鬼どもを酔わせる。

⑤隙を見て囚われていた姫を救出する。

⑥相手は追跡して来たが途中で断念する。

⑦主人公は姫を連れて帰り、長者になる。

（野村純一著『桃太郎と鬼』〈清文堂出版〉P59、60）

半分型
（黍団子を半分あげる）

一般型に入る。

（『桃太郎は今も元気だ』P99～102）

猿蟹合戦型

桃太郎のお供が臼、蟹、栗（どんぐり）、蜂、糞などであり、「猿蟹合戦」の後半部分と同じになっている。

（『桃太郎は今も元気だ』P99～102）

灰蒔爺型

花咲か爺さんの話につながっている。

（花部英雄著『桃太郎の発生』〈三弥井書店〉P23、24）

絵姿女房型

絵姿女房の話につながっている。

（稲田浩二・立石憲利著『奥備中の昔話』〈三弥井書店〉P81）

団子の名型
団子智型

高知県にみられ、桃太郎ではなく、「桃栗太郎」という名前になっている。

(『奥備中の昔話』P81)
(『日本昔話大成』P73)

便所の屋根葺き型

爺が便所の屋根から落ちて着物を汚す。その着物を洗いに婆が川へ行く。

(『桃太郎の発生』P23)

閑所の屋根葺き型

屋根で見つけた穂の取り合いから便所に落ち、汚れた着物を洗いに川へ行く。

(『桃太郎の発生』P23)

　以上のように分類してみると、一般型、山行き型の他にも、たくさんの型に分類されていることがわかりました。その多くを読むことができましたが、「絵姿女房型」の桃太郎だけは読むことができず、残念でした。

　驚いたのは、私が「お便所桃太郎」と命名した型は、「便所の屋根葺き型」「閑所の屋根葺き型」と分類されていたことでした。『桃太郎の発生』(P7)によれば、石川県の「桃太郎」も、「閑所の屋根葺き型」に分類されると言います。しかも、便所に落ちてしまうという面白い「閑所の屋根葺き型」の桃太郎は、石川県富来町と福島県の東白川郡、石川郡の3つの地区でしか見られないのだそうです。

　祖父に聞いて、"『日本昔話大成』にも入っていない桃太郎を発見！"(本書45ページ)と喜んでいたのですが、すでに、野村純一さんとい

う國學院大學の先生の『桃太郎と鬼』(清文堂出版)にも掲載されていました。そこには、次のように書かれていました。

- 爺が便所に落ちて汚してしまった着物を、婆が川に洗濯に行くという「閑所の屋根葺き型」の桃太郎は、福島県の一地域と能登の富来の地の２つでしか伝承されていない。

- 爺が便所に落ちてしまう場面から、「桃太郎」「花咲爺」(の話)に展開されている。

- 能登は富来の地と、一方遠く隔たった福島の一地域にかくも類似した話が(あるのは──引用者)……、潜在して必ずや人の動きがあった。(以上、P94~95)

- よその土地に行われる舞や踊りを自分たちの所に誘致する、"以遠の地に面や太鼓を発注するなどの記録や書き留の類いは今も各地に残っている。"(P95)

- 日本海側の地から福島は東白川、石川両郡下にもたらされたと考えるのが妥当ではなかろうか。(P95)

ここから分かることは、福島県と新潟県の便所に関係する桃太郎は、元は一つであり、新潟県から福島県に伝わったということだと思います。伝わる原因として、舞や踊り、面や太鼓など「祭り」を連想する民俗行事をおこなう上での人々の移動があるとも言っています。

この見方を知って、それぞれの時代の芸能や風習、民俗行事は、人々にとって大事なものであったのではないだろうかと、思うようになりました。だからこそ、車や電車がない時代でも、遠くの地域に足を使って移動し、言語伝承の昔話が遠く離れた地区で伝承されてきたのだと想像します。

「お便所桃太郎」では、國學院大學説話研究会の『石川郡のざっと昔』という本がありました。そこには次のようなことが書かれていました。

- かつての便所は丸い桶に板を二枚渡しただけの物であり、便所には神様がいるとされている。
- 「便所の神様は手のない神様だから鼻をかんだ紙を便所に捨ててはいけない」と言われていた。
- 便所をきれいにしておけば美しい子が生まれるとか、産が軽く済むという伝承がある。
- （便所→よごれ→笑い）と（便所→誕生→話の展開）と福島県石川郡の人々は連想する。(以上、國學院大學説話研究会『石川郡のざっと昔』P177〜178)

「便所の屋根葺き型」の桃太郎について、以上の話を祖父に話しました。すると、「田畑の肥料にするために尿便を集めているのだから、紙が入ると肥料になんねぇんだ。んだがら、使った紙は、便所に設置してあるかごに捨てたんだ。もしかしたらよー、小さい子どもさ、『便所さ、紙を捨てんな！』って言うより、『神様いっから、紙、捨てんなよ』って言った方が、わがりやすいっけのがもしんね」とも言っていました。

便所には細菌も発生するため、清潔にする必要があったとも言うのです。お産が軽く済むという伝承も、便所の清潔を保つための言い伝えではないだろうかと、思いました。

なお、これまで見てきた分類以外にもたくさんの桃太郎昔話があるように私は思いますが、いくつかの本を読んでみましたが、これ以上の分類は見つかりませんでした。そこで、私が勝手に命名した桃太郎分類を紹介させていただきます。

よつばが分類した桃太郎の型

姫取り型

姫（娘）を車に乗せて
連れ帰る。
（岩手県東磐井郡・紫波郡）

嫁探し型

嫁を探しに行く目的で
鬼ヶ島に行く。
（福島県双葉郡）

節分型

節分の話につながる。
（京都府北桑田郡）

瓜子姫型

桃から娘が生まれる。
（島根県隠岐郡）

海賊退治型

海賊退治に瀬戸内海を
進んでいた。
（岡山県西大寺市）

悪者退治型

鬼ではなく、
悪者を退治に行くお話。
（岡山県阿哲郡）

　野村純一さんが『桃太郎と鬼』で分類している「逃鼠譚型（姫を救出する）」や、私が名づけた「姫取り型」と「嫁探し型」の３つは、姫や娘を助けたりする、私が探している「お姫さまや娘が出てくる」桃太郎です。

　この姫や娘を助けたり、嫁にしたりする話は、「一般型」に属するのかもしれません。しかし、『日本昔話大成３』（角川書店）や立石憲利編著『桃太郎話 みんな違って面白い』（岡山デジタルミュージアム）などの各地区の昔話集の中では、分類も、掲載もされていませ

浦島太郎型

鬼ヶ島ではなく竜宮城へ
行き、玉手箱をもらう。
（岡山県奥備中）

爺婆死ぬ型

桃太郎が持ち帰った
大木によって、爺婆が
死んでしまう。
（徳島県三好郡　香川県三豊郡）

鬼の部位持ち帰り型

鬼の体の一部（牙、生き肝）
を持ち帰っているお話。
（石川県江沼郡・山中町
島根県八束郡）

桃太郎関係ない型

桃太郎との関係は薄いが、
桃太郎となっているお話。
（熊本県天草郡　アイヌ
新潟県の一部）

回春型

桃を食べた老夫婦が若返り、
桃太郎を産む。
（埼玉県狭山市　香川県仲多度郡）

異誕生型

豆から豆ナイ太郎が
生まれた。
（新潟県西蒲原郡）

んでした。今回の私の調べ学習では「お姫さまが出てくる桃太郎は
あるのか？」を課題にしたので、とりあえず、私が命名することに
したのです。

　これら以外にも、ほかの昔話へと連想する「瓜子姫型」「浦島太郎
型」「節分型」がありますが、便所の桃太郎と同様に、人の移動など
で色々な昔話が混ざり合っていくなかで、その土地その土地での「桃
太郎」が生まれていったのだろうと考えます。

　そこで、もっとわかりやすく分類するために表にしてみました。

5つの観点で分けて
表にまとめる

　①「桃太郎の生まれ方」、②「桃太郎の人物像」、③「鬼ヶ島へ行く理由」、④「鬼から取り返した宝物」の４つの観点については、この本の20～35ページを参照して色別で、以下の表に記入しています。

　もう１つの観点となる　⑤「桃太郎話の分類」についても同様に色分けをしてまとめています。

① 『日本昔話大成３』（角川書店）で関敬吾さんが分類………ピンク

② 『桃太郎話　みんな違って面白い』（岡山デジタルミュージアム）で立石憲利さんが分類………青

③ 各地区の昔話集に記載されて分類………緑

④ 分類の型が不明。または、よつばが分類………紫

●全国の桃太郎話の５分類表

県	地域	題名	桃太郎の生まれ方	桃太郎の人物像	鬼ヶ島へ行く理由	鬼から取り返した宝物	桃太郎話の分類
青森県	三戸郡	手っきり姉さま	川から流れてきた桃から生まれる	賢い子供	急に鬼退治に行きたいと言う	ありったけの宝物	一般型
	西津軽郡	津軽口碑集	川で箱を拾い、箪笥にしまっておくと生まれる	一般と同一	一般と同一	一般と同一	誕生以外一般と同一
	下北郡	下北地方昔話集―「伝承文芸」第五号―	大きい桃と小さい桃が流れて来て、大きい桃を持ち帰る		悪い鬼を征伐する	宝物	一般型
	津軽郡	津軽百話	赤い桃と白い桃が流れて来て、赤い桃を持ち帰る		鬼取りに行く	金銀珊瑚の宝物	一般型

県	地域	題名	桃太郎の生まれ方	桃太郎の人物像	鬼ヶ島へ行く理由	鬼から取り返した宝物	桃太郎話の分類
岩手県	紫波郡	岩手県紫波郡昔話集	戸棚にしまっておいた桃				誕生以外一般型
	紫波郡	紫波郡昔話	婆の腰に転がってきた桃から生まれる		鳥から鬼が黍団子を所望している手紙が届く	姫を車に乗せて帰る	姫取り型
	稗貫郡	すねこ・たんばこ	川から拾ってきた桃を戸棚にしまっておくと生まれる	力持ち	鳶に教えられた		後半一般と同一
	遠野市	岩手県南昔話集―「伝承文芸」第六号―	婆が桃を一つ食べ、もう一つ桃が流れて来て、桃を綿と紙にくるみ戸棚にしまっておくと桃が割れる	どんどん成長する	黍団子を作らせて鬼退治に行く	宝物	一般型
	東磐井郡	岩手県南昔話集―「伝承文芸」第六号―	桃を川で拾い、鉈で切ろうとすると桃が割れる		鬼が悪さをするから	さらわれていた娘たちを助け、宝物を車に積む	姫取り型
宮城県	栗原郡	譚（再刊一号）	赤い箱と青い箱が流れて来て、赤い箱を持ち帰り、箱の中の桃が割れて生まれる	黍団子を食べると大きくなる		宝物	一般型
秋田県	仙北郡	羽後角館地方鳥虫草木の民俗学的資料	誕生の条は欠けていると記載				一般型
	仙北郡	羽後角館地方鳥虫草木の民俗学的資料	白い箱と赤い箱が流れて来て、赤い箱を持ち帰る。明神様に供えておくと嬰児が生まれていた			宝物の条はないと記載	一般型
山形県	最上郡	笛吹き聟―最上の昔話―	赤と白の袋が流れて来て、赤い袋に入っていた桃から生まれる			一匹の鬼を倒し、宝物を持って帰る	一般型
	西置賜郡	飯豊山麓の昔話	赤い箱と黒い箱が流れて来て、赤い箱を持ち帰り、赤い箱の中に入っていた桃から生まれる		15、6歳になり、黍団子を持って鬼退治に行く	宝物を持ち帰る	一般型
福島県	いわき市	地方昔話集	一般とほとんど同一	一般とほとんど同一	一般とほとんど同一	一般とほとんど同一	一般型

県	地域	題名	桃太郎の生まれ方	桃太郎の人物像	鬼ヶ島へ行く理由	鬼から取り返した宝物	桃太郎話の分類
福島県	双葉郡	双葉郡昔話	赤い箱を持ち帰り、開けると子供が入っていた	大男になる	嫁探しに行く		嫁探し型
	双葉郡	相馬地方昔話集―「伝承文芸」第二号―	白と赤の小箱が流れて来て、赤い小箱を持帰る。開けると桃があり、中から子供が出てくる			宝物	一般型
	双葉郡	相馬地方昔話集―「伝承文芸」第二号―	重い箱を拾い、中に入っていた桃から生まれる			宝物	一般型
	相馬郡		川から拾ってきた桃から生まれる		7、8歳の時に鬼退治に行く	宝物	一般型
	相馬郡	相馬地方昔話集―「伝承文芸」第二号―	川上から流れて来た桃から生まれる	甘酒で育った		打ち出の小槌	一般型
	耶麻郡	会津百話	川から拾ってきた桃から生まれる		大江山の鬼退治	珊瑚、たくさんの宝物	一般型
	南会津郡	昔話編（「会津館岩村民俗誌」所収）	川から拾ってきた桃から生まれる			金銀珊瑚の宝物	一般型
	東白川郡	東白川郡のざっと昔	川から流れてきた桃から生まれる	大きくなった	桃太郎が鬼退治に行きたいと言い出す	宝をいっぱい持帰った	便所の屋根葺き
	東白川郡	東白川郡のざっと昔	川からドンブラコドンブラコと流れて来た桃から生まれる	「読本で習って来たから分かっべ」と記載	鬼退治に行かない		便所の屋根葺き
	東白川郡	東白川郡のざっと昔	川からドンブラコドンブラコと流れて来た桃から生まれる	お湯を浴びせてもらった盥の水を担いでぶん投げた	桃太郎が鬼退治に行きたいと言い出す	鬼が奪った人間の宝物などを取り返す	便所の屋根葺き
	石川郡	石川郡のざっと昔―福島県石川郡昔話集―	白い桃と赤い桃が流れて来て、婆さんが拾った赤い桃から生まれる	大きな桃が生まれた	唐突に鬼退治に行くことになる	たくさん宝物をもらった	便所？

県	地域	題名	桃太郎の生まれ方	桃太郎の人物像	鬼ヶ島へ行く理由	鬼から取り返した宝物	桃太郎話の分類
福島県	石川郡	石川郡のざっと昔―福島県石川郡昔話集―	川からドンブリコ、ドンブリコと流れてきた桃から生まれる		桃太郎は大きくなって鬼退治に行く	鬼を退治して土産物,宝物を取ってきた	便所の屋根葺き
	石川郡	石川郡のざっと昔―福島県石川郡昔話集―	大きな桃が流れてくる	大きく、強くなった			便所の屋根葺き
	石川郡	石川郡のざっと昔―福島県石川郡昔話集―	川から流れて来た桃から生まれる		大きくなって鬼退治に行く		便所の屋根葺き
	石川郡	石川郡のざっと昔―福島県石川郡昔話集―	ドンブリコッコ、ドンブリコッコ、ドンブリコッコと流れて来た桃から生まれる				便所の屋根葺き
	石川郡	石川郡のざっと昔―福島県石川郡昔話集―	川から流れて来た桃から生まれる	日増しに大きくなった	急に桃太郎が鬼退治に行きたいと言い出す	鬼が威張ってため込んでいた宝物を持ち帰る	便所の屋根葺き
千葉県	富津町大堀	富津町の口承文芸	ボクリボクリと川から流れて来た桃から生まれる	大きくなると成長した	宝物を取りに行く	宝物をぶんどって帰る	一般型
	富津町川名本郷	富津町の口承文芸	川で拾った桃から生まれる	桃太郎と名付け、大事に育てる	急に鬼退治に行く	鬼を退治して宝物を持ち帰る	一般型
	富津町西川	富津町の口承文芸	川で拾った桃から生まれる	桃から生まれたので桃太郎と名付ける			一般型
	富津町上飯野	富津町の口承文芸	川から流れて来た桃から生まれる	桃から生まれたから桃太郎と名付ける			一般型
埼玉県	南埼玉郡	郷土研究資料	桃を拾い、持ち帰った桃を重箱に入れておくと桃太郎が生まれる				
	所沢市	川越地方昔話集	爺婆が神に子供が欲しいと祈願し、爺が川辺で寝ていると神様が現れ、川上に行けと教える。桃の木に実がなっていて、杖で落とすと川に落ち、これを婆が拾う	一般と同一	一般と同一	一般と同一	婆が桃を拾った後から一般と同一

59

県	地域	題名	桃太郎の生まれ方	桃太郎の人物像	鬼ヶ島へ行く理由	鬼から取り返した宝物	桃太郎話の分類
埼玉県	狭山市	川越地方郷土研究第四輯	老夫婦が桃を食べて急に若くなり、婆が桃太郎を生む				回春型
	川越市	川越地方昔話	桃から生まれる				鬼ヶ島一般と同一
東京都	小金井市	昔話研究第一～二巻	拾ってきた桃を戸棚にしまっておき、爺と割ると小僧っ子が出る	魚龍に日本一の黍団子を入れる	宝探し		猿蟹合戦型
新潟県	中頸城郡	川越地方昔話集（＊）	川で流れて来た香箱を拾い、蓋を開けると桃太郎が出る				灰蒔爺型
	柏崎市	滋賀県長浜昔話集（＊）	よく分からない（香箱の中は犬の仔である）				灰蒔爺型
	佐渡郡	佐渡昔話集	美しい香箱の中に入っていた桃から生まれる				一般型
	長岡市	いきがポーンとさけた	雉の卵（三つ目につぶれた卵）	きじの子太郎	宝物を取りに行くため	大判小判隠れ蓑隠れ笠打ち出の小槌	力太郎型
	西蒲原郡	犬に呑まれた嫁―巻町の民話―	庭のすみから出てきた豆を紙に包んで棚に上げておくと、夜中に赤子が生まれる。豆ナイ太郎と名付ける		大きくなると丹波の山へ鬼退治に行く		異誕生型
	栃尾市	増補改訂吹谷松兵衛昔話集	川で拾った大きい桃を仏様に上げておくと、中から桃太郎が生まれる			宝物	一般型
	下田村	越後下田郷の昔話	川からドンブリ、カッシリ、スッコンゴウと流れて来た桃から生まれる	食べるものがみな身になり、大きくなる。山へ誘われても三日間断った	殿様が桃太郎に鬼退治に行かせる命令を出す	鬼ヶ島の宝物全部	寝太郎型（力太郎）
石川県	江沼郡	加賀江沼郡昔話集	川で拾って来た桃から生まれる	力があり、賢い柿太郎とからすけ太郎をお供にする	じじに、鬼と牙を取りに行けと言われる	鬼の牙、風が吹いて鬼の牙を落としてしまい、3人で死のうとする	力太郎型（鬼の部位持ち帰り型）
	珠洲市	石川県珠洲の昔話と伝説	川で拾って来た桃から生まれる		急に鬼退治に行くと言い出す	宝物	一般型

（＊）『日本昔話大成３』による。

県	地域	題名	桃太郎の生まれ方	桃太郎の人物像	鬼ヶ島へ行く理由	鬼から取り返した宝物	桃太郎話の分類
石川県	山中町	南加賀の昔話	ぷかりぷかりと流れて来た桃から生まれる	だんくら者（いたずら者）で、隣の人を怒らせる	怒らせた隣の人に鬼の牙を取ってこいと言われる	鬼の牙	力太郎型？（鬼の部位持ち帰り型）
	富来町	能登富来町昔話集	川から流れて来た桃から生まれる		鬼退治に行っていない		関所の便所
	富来町	能登富来町昔話集	川上から桃がポンポコポンポコ流れて来た	桃が犬の子になる		犬が「ここ掘れワンワン」と言い、そこを掘ると金や、宝物が出てくる	花咲か爺？
福井県	坂井郡	昔話研究・第一巻～二巻	臼の上に置いた桃から生まれる	これ以上の報告はない	これ以上の報告はない	これ以上の報告はない	一般型
山梨県	西八代郡	続甲斐昔話集第一巻	川から流れて来た手箱を拾い、中に入っていた柿の種を植える				蟹の仇討ち型
	西八代郡	続甲斐昔話集一三〇	川から流れて来た手箱の中に入っていた桃から生まれる	一般と同一	一般と同一	一般と同一	一般型
長野県	小県郡	小県郡民譚集	一般の型と同一	一般の型と同一	一般の型と同一	一般の型と同一	一般型
岐阜県	吉城郡	昔話研究・第二巻	戸棚に入れた桃から生まれる		鬼ヶ島へ行くこと一般と同一		鬼ヶ島へ行くこと一般と同一
	山県郡		桃の種と柿の種が川から流れてくる。桃の種を拾う。その種から子供が生まれる	桃太郎は大きくなった	鬼が難儀（迷惑をかける）をするから	大へん宝物をもらった	一般型
	恵那郡上矢作町	恵那昔話集	赤い重箱と黒い重箱が流れて来て、赤い重箱の中から男の子が出てくる		桃太郎が鬼退治に行くと言い出す	宝物をいっぱいもらう	半分型
	中津川市阿木		赤い重箱と黒い重箱がポカポカりと流れて来て、赤い重箱を拾う。赤い重箱から生まれる	桃太郎は丈夫に、大きくなった	桃太郎が黍団子を作ってくれと頼む	宝物を車にいっぱいもらう	一般型

県	地域	題名	桃太郎の生まれ方	桃太郎の人物像	鬼ヶ島へ行く理由	鬼から取り返した宝物	桃太郎話の分類
京都府	北桑田郡	丹波地方昔話集―「伝承文芸」第一〇号―	川からどんぶりこっこしっこここと流れてきた桃から生まれる			宝物	節分の話につながる
兵庫県	相生市	播州小河地方の昔話	川で拾ってきた桃を長持に入れ、開けたら桃太郎が生まれていた。桃太郎は臼を引いていた	後は語られていない	黍団子を持って猿と犬を従えて鬼が島に行く	後は語られていない	一般型
鳥取県	東伯郡	東伯郡赤碕町昔話集（上）	川上から、どんぶりかっきりすここんこんと流れて来た桃から生まれる		大きく育って鬼ヶ島に鬼退治に行く	宝物	一般型
島根県	大原郡	とんとんむかし―藤原千代子の昔話―	桃から生まれる			宝物	一般型
	八束郡	鼻きき甚兵衛―出雲の昔話―	婆が拾って来た桃から生まれる	松葉かきに誘われるが、負龍、背負い網、わらじ作りに三日かける	婆の腰痛を治すため（腰痛を治すには鬼の生き肝が必要）	宝物ではなく、生き肝	（鬼の部位持ち帰り型）
	八束郡	島根県八束郡美保関町民話集	川から流れて来た桃を戸棚に入れておくと子どもが生まれている		桃太郎が大きくなって鬼退治に行く	宝物をいっぱいもらう	一般型
	八束郡	島根県八束郡美保関町民話集	川から流れて来た桃を戸棚に入れておき、割ろうとすると中から男の子が生まれる				一般型
	八束郡	島根県八束郡美保関町民話集	川からどんぶりこ、かんぶりこと流れてきた桃を戸棚に入れておくと赤ちゃんが生まれている	桃太郎だけ荷ができておらず、大きな木を担いで帰った	「大きくなったから鬼退治に行きたい」と桃太郎が言い出す	宝物をいっぱいもらう	山行き型
	八束郡	島根県八束郡美保関町民話集	生まれている	桃太郎という名前ではなく、「なんだか」という名前。山へ誘われても何日も断る	鬼退治に行っていない		山行き型
	八束郡	島根県八束郡美保関町民話集	川から流れて来た桃から生まれる	山へ誘われても何日も理由をつけて断る	鬼退治に行っていない		山行き型

62

県	地域	題名	桃太郎の生まれ方	桃太郎の人物像	鬼ヶ島へ行く理由	鬼から取り返した宝物	桃太郎話の分類
島根県	八束郡	島根県八束郡美保関町民話集	川上から流れてきた桃を戸棚に入れて置き、出すと生まれる	山へ誘われても何日も理由をつけて断る	「今度は大人になって鬼退治のあげなんなあまがしね」とある		山行き型
	八束郡	島根県八束郡美保関町民話集	生まれている	山へ誘われても何日も理由をつけて断る	鬼退治に行っていない		山行き型
	八束郡	島根県八束郡美保関町民話集	生まれている	山へ誘われても何日も理由をつけて断る			山行き型
	八束郡	島根県八束郡美保関町民話集	怠け者の桃太郎がいた	山へ誘われても何日も理由をつけて断る			山行き型
	隠岐郡	隠岐の昔話と方言	婆が川で拾って来た桃から生まれる		十歳て鬼退治に行く	鬼を退治して宝物を持ち帰る	一般型
	隠岐郡	隠岐の昔話と方言	川上から流れて来た桃から生まれる	七つ、八つの時に悪いことばかりする	急に鬼退治に行くと言い出す	鬼を殺して宝物を持ち帰る	一般型
	隠岐郡	隠岐の昔話と方言	婆が川で拾って来た桃から生まれる		桃太郎が大きくなると「鬼ヶ島へ仇討ちに行く」と言い出す		一般型
	隠岐郡	隠岐の昔話と方言	婆が川で拾い棚に入れておいた桃が２つに割れて娘が生まれる				娘が生まれた後は瓜子姫型
岡山県	阿哲郡	三室むかしこっぷり		草履、荷緒、せな当てを作って言われた四日目にやっと山へ行く			山行き型
	阿哲郡	三室むかしこっぷり	婆が川から拾ってきた桃から生まれる		悪者を退治に島に渡ろうと思っていた		悪者退治型
	阿哲郡	三室むかしこっぷり	婆が川から拾ってきた桃から生まれる				一般型
	真庭郡	真庭郡	川からドンブリコンブリ、スッコンゴウと流れて来た桃から生まれる	おじいさんの仕事を代わる	殿様に鬼ヶ島へ鬼退治に行けと命令される	鬼ヶ島にある宝物	力太郎型

県	地域	題名	桃太郎の生まれ方	桃太郎の人物像	鬼ヶ島へ行く理由	鬼から取り返した宝物	桃太郎話の分類
岡山県	川上郡	なんと昔があったげな	櫃の中に入れておいた桃から生まれる	山へ誘われても三日間断った	桃太郎が急に鬼退治に行きたいと言い出す	宝物	山行き型
	阿哲郡	なんと昔があったげな	生まれている	強力だったが、横着者だった	鬼退治に行っていない		一般型
	新見市	なんと昔があったげな	生まれている	誘いを何日も断る	殿様に鬼退治に行けと命令される		力太郎型
	小田郡	なんと昔があったげな	長持に入れておいた桃		成人して鬼退治に行こうとする		一般型
	西大寺市	なんと昔があったげな	生まれている		海賊退治に瀬戸内海を進んでいた		海賊退治型
	奥備中	奥備中の昔話	爺婆が祈ると子どもが生まれる	山へ行っても寝てばかりいる	鬼ヶ島ではなく、竜宮様へ行く	竜宮様で玉手箱をもらう	浦島太郎型
	奥備中	奥備中の昔話	川で拾って来た桃を櫃に入れておくと生まれている	木を拾う誘いを九日間断る	行っていない	行っていないので取り返していない	山行き型
	神郷町	しんごうの民話	川から流れて桃から生まれる	山に誘われても何日も断る	鬼退治に行っていない		山行き型
	神郷町	しんごうの民話	生まれている	大きく成長し、力が余っていておじいさんのかわりに山へ行く	鬼退治に行っていない		一般型
	神郷町	民話集三室峡	ドンブリコンブリカッシャンコーという音がし、見てみるとドンブリコンブリ桃が流れていた。桃を拾い、あとで食べようとすると男の子が生まれた	山へ誘われても何日も断り、しらみを取り出した	鬼退治に行っていない		山行き型
	哲西町	中国山地の昔話	ドンブラコッコスッコッコと流れて来た桃を戸棚に入れ、割ろうとすると生まれる	山へ誘われても何日も断る	鬼退治に行っていない		山行き型
	哲西町	中国山地の昔話	川で侍が捨てた子どもを拾う	桃太郎は悪さをする	鬼が悪さをするから	宝物を取る	一般型

64

県	地域	題名	桃太郎の生まれ方	桃太郎の人物像	鬼ヶ島へ行く理由	鬼から取り返した宝物	桃太郎話の分類
岡山県	哲西町	中国山地の昔話	爺と婆は子授けの観音へ願をかけ、二十一日まいりをする。家のそばに赤子が捨ててある	拾った赤子が着ているものすべてに桃の紋章がある	大きくなって鬼退治に行く		一般型
広島県	広島市	安芸国昔話集	桃太郎というが、桃の誕生はない	友達と柴刈りに行くが、寝ていて働かない		鬼退治に行っていない	力太郎型に近い
	某地	昔話の研究	発端は一般の桃太郎型である			鬼の宝物を取る	猿蟹合戦型
	比婆郡	下高野昔話集	桃を入れておいた櫃から生まれる			鬼が全部差し出した宝物	猿蟹合戦型
	比婆郡	下高野昔話集	川で拾ってきた桃				猿蟹合戦型
徳島県	三好郡	東祖谷昔話集	もともと生まれている	木や柴の切り方を知らないので木の根元から引き抜いて持って帰る		鬼退治に行っていない	爺婆死ぬ型
香川県	三豊郡	西讃岐昔話集	桃からの誕生は説かない	山へ柴刈りに行くが昼寝をしていた	家の中に盥を発見し鬼ヶ島に渡る	鬼の宝物を取って帰る	力太郎・山行き型（爺婆死ぬ型）
	仲多度郡	香川県佐柳島・志々島昔話集	若返った婆から生まれる		桃太郎が唐突に鬼ヶ島に行きたいと言い出す		回春型
愛媛県	北宇和郡	昔話研究第二巻	婆が川で拾って来た桃から生まれる		唐突に鬼ヶ島へ行きたいと言う		猿蟹合戦型
高知県	高知市	土佐昔話集	一般とほとんど同一	一般とほとんど同一	一般とほとんど同一	一般とほとんど同一	一般と同一
	某地	旅と伝説・五巻	婆が拾って来た桃をしまった箪笥で生まれる				団子の名型
福岡県	企救郡	福岡県童話	神に祈願して桃を拾い、その桃から生まれる				桃を拾った後は一般と同一
佐賀県	東松浦郡	佐賀百話				鬼が差し出した宝物	一般型

県	地域	題名	桃太郎の生まれ方	桃太郎の人物像	鬼ヶ島へ行く理由	鬼から取り返した宝物	桃太郎話の分類
佐賀県	東松浦郡	佐賀百話	川上からぶっかんぶっかんと流れて来た桃から生まれる		鬼が山の辻で果物をみんな取り食べるので、鬼征伐した		一般型
	東松浦郡	佐賀百話	川からちっぽんころりんと流れて来た桃から生まれる		鬼征伐に行くから黍団子を作ってくれと言う	鬼征伐をして宝物を持ち帰る	一般型
	三養基郡	佐賀百話	川上から流れて来た桃から生まれる			宝物を車に積んで帰る	一般型
	唐津市	佐賀百話	川上からうかんしょ、うかんしょと流れて来た桃から生まれる		大きくなってから黍団子を持って鬼退治に行く	鬼からもらった宝物を持って帰る	一般型
熊本県	天草郡	天草島伝説纂輯	桃ではなく、人形が流れてくる	婆が笑って死ぬ			桃太郎関係ない型
鹿児島県	沖永良部	沖永良部島昔話集	母が川で拾って来た桃から生まれる		島の人が鬼に食われ、爺一人だけ残ったと泣いている。羽釜のふたの裏に鬼ヶ島へ行く道が書いてある	鬼を退治して宝物をとって帰る	一般型
アイヌ		日本昔話集	娘が水を汲んでいると鍋が流れて来て中に男の子が入っている		親を探しに川上へ行く	鬼も宝物も出てこない	桃太郎関係ない型

　では、上記の表「全国の桃太郎話の５分類表」を基にして、白地図に記入していくことにします。その際、「桃太郎の分類」の型は多くなってしまうので、姫や娘が出てくる桃太郎「逃鼠譚型（姫を救出する）」「姫取り型」「嫁探し型」以外は、多かった分類の型「山行き型」「力太郎型」を記入することにしました。また、色々な昔話が入っている型については、「昔話型」とひとくくりとして記入しています。

「閑所の屋根葺き型」と「便所の屋根葺き型」は、少し詳しく取り上げましたので、調査結果を確認するため記入しました。

逃鼠譚型（姫を救出する）…赤

姫取り型…………………………紫

嫁探し型…………………………ピンク

一般型……………………………黒

山行き型…………………………緑

力太郎型…………………………青

閑所の屋根葺き型・便所の屋根葺き型………オレンジ

昔話型（猿蟹合戦型・灰蒔爺型・瓜子姫型・浦島太郎型含む）………………茶

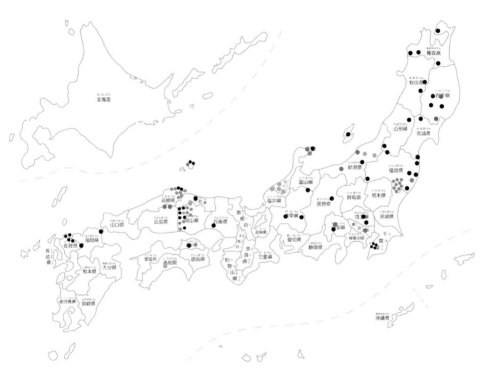

わかったこと

- 姫や娘に関係する「逃鼠譚型（姫を救出する）」「姫取り型」「嫁探し型」は、3つだった。
- 一般型が一番多く、日本全国に広がっている。
- 猿蟹合戦型は東京都、愛媛県にもあるが、広島県が多かった。
- 便所に関わる桃太郎（「閑所の屋根葺き型」・「便所の屋根葺き型」）は、福島県南部や石川県に集中している。
- 山行き型は、岡山県や島根県など中国地方に多い。
- 力太郎型は、北陸に多い。

　日本地図に、「型」で分類して色分けをして分布してみると、地域ごとに特徴がはっきりと見られます。まとめの意味で、上の「わかったこと」と重なるところがありますが、全国的な視点から見ると、次の4点に気づきました。

① 姫や娘が出てくる話は、岩手県と福島県にだけしかない。

② 北陸地方では、力太郎型が多い。

③ 昔話型は、中国・四国地方に分布されているのが多く、次いで新潟県にも見られた。

④ 新潟県や岡山県、島根県などの海に囲まれた県に色々な桃太郎話が分布されているが、もしかしたら、海を渡って移動しながら、色々な昔話が伝わってきたのだろうかと想像できる。

桃太郎を分類した現時点の私の結論

　人の移動や色々な昔話が混ざり合っていく中で、その土地その土地で「桃太郎」が確立されていった。

5

お姫さま・娘が出てくる物語の背景

おじいさんと おばあさんは おおよろこびして、
ももたろうを むかえました。
それからは おにどもも こなくなり、
ももたろうは おひめさまを およめにもらって、
おじいさん おばあさんと、いつまでも
しあわせに くらしました。
めでたし めでたし。

『ももたろう』松居直文　赤羽末吉画　福音館書店

「桃太郎絵巻 高嵩渓筆」高松市歴史資料館所蔵

お姫さま・娘たちが出てくる「桃太郎」は予想より少ない!!

『日本昔話大成3』には、お姫さまや娘が出てくる昔話が3つありました。この問題に絞って地域と内容ごとに整理してまとめてみます。

地域	鬼ヶ島に行く理由	帰ってきた後のこと
岩手県紫波郡	烏から鬼が黍団子を所望している手紙が届く	上に鬼退治のことが聞こえ、大金をもらって家が栄え、長者になる
岩手県東磐井郡	鬼が悪さをするから	さらわれていた娘たちを助け、宝物を車に積む
福島県双葉郡	嫁探しに行く	雉が山の向こうに娘を見つけ、嫁にする

わかったこと

- お姫さま、娘が出てくるお話は3話あったが、嫁にするのは1話しかなかった。
- 嫁にしないほかの2話は、宝物や大金をもらって長者になっている。
- 岩手県の2つは姫や娘を助けるお話になっているが、福島県のお話は嫁探しに行っている。
- お姫さまや娘が出てくるお話は東北地方に多いことが分かった。

お姫さまや娘が出てくる「桃太郎」がもっとあるかと思っていましたが、３つしかなかったことには驚きました。そのなかで一番驚いたのは、福島県双葉郡の嫁探しをする桃太郎です。

　宝探しに行く桃太郎はよく知られているものですが、お嫁さん探しに行く桃太郎は聞いたこともなかったからです。この「桃太郎」は犬と猿と雉をお供にしたあと、雉が山の向こうに娘を見つけ、その娘を嫁にするというもので、鬼ヶ島には行かず、ただ嫁を探すためにお供を引き連れ、嫁探しに行くお話なのです。目的は、鬼退治ではなく、宝を得るためでもなく、嫁探しなのです。嫁探しはこれ１つだけです。

　岩手県の紫波郡の「桃太郎」は、鬼がなぜか黍団子をほしいと言い、その手紙を鳥が届けます。そして桃太郎は鬼退治をし、姫を（車に）乗せて帰ります。

　この話では、助けた姫を嫁にしたとは書かれていません。鬼から大金をもらって家が栄えているという結末です。

　もしかしたら、助けたお姫さまを嫁にしたのではないだろうかとも、私は考えてしまいました。

　もう１つの娘を連れ帰るお話は、岩手県東磐井郡の「桃太郎」で、鬼が悪さをしていたので鬼退治に行き、鬼を征伐し、さらわれていた娘たちを助けるというのは、同じ岩手県の紫波郡のものと同じ。やはり、この桃太郎も助けた娘を嫁にしたとは書かれていません。紫波郡とは違って、大金はもらってはいませんが、鬼から宝物を取っているのは同じです。

　それにしても、この２つの「桃太郎」は、どうして鬼ヶ島に行ったのだろうか？　宝を得るため？　鬼を征伐するため？　もしかしたら、姫や娘を助けて嫁にするためだったのではなかったのか？

　私は、また大きな疑問をもってしまいました。そう言えば、一寸

法師や力太郎などの昔話には、お姫さまや娘を助け、最後には嫁にして末永く幸せに暮らしたというような結末が多かった気がします。

　こんなふうに考えれば、桃太郎だって、お姫さま・娘を助け、最後には嫁にして幸せに暮らしたという結末でもおかしくないではないだろうか。

　そこで「姫や娘を嫁にする桃太郎」について書かれた本などはないかと調べることにしました。

① 鳥越信著『桃太郎の運命』(ミネルヴァ書房)に、松居直著の『ももたろう』のことが載っていた

　児童文学の研究者で早稲田大学の先生でもあった鳥越信さんの本『桃太郎の運命』には、次のように書かれていました。

○　松居さんの『ももたろう』では、「とりわけ、助け出したお姫さまと結婚する、という結末の部分は、本来の伝承にあったはずとされたものを復活させたわけで、その点でも作者がいかに伝承の忠実な再現をめざしたかがよくわかる。」(P170)

○　また、この松居さんの『ももたろう』は、「さまざまな時代の運命にもてあそばれながら、試行錯誤をくりかえしてきた桃太郎が、はじめて民衆のあいだで生まれたままの姿に立ちもどろうとした。」(P170)

○　「民話の主人公が物語の最後にしあわせを手にする時、その具体的な内容は、

　　一に物質的富

　　二に働き者で美人の妻、

　　三に権力、であった。

　　この三つこそ民話を生み出した当時の民衆が、どうしても手に入れたい『しあわせ』というものだった。」(P171)

○　鳥越さんの本では、1950年代に生まれた「日本民話の会」の会員で小学校の先生なども務めた冨田博之さんが創作した学校劇「桃太郎」(1954年)が取り上げられていて、「本来の伝承にはあったはずとされる『嫁取り』復活の展望があったのかもしれない。」(P160)と書かれていました。

※赤波線はよつば（娘や姫に関係する文につけた）

考えたこと

　この見方のように、お姫さまと結婚するのが本来の「桃太郎」なら、もともと「桃太郎」は、「嫁取りの話」だったのではないかと考えられます。それが段々と、その要素が薄れていったのではないだろうか。

　鳥越さんの「生まれたままの姿に立ちもどろうとした」とは、桃太郎の話の「原型にもどる」ということだと思います。これまで見てきたように、「桃太郎」は時代と共に内容が変化してきました。その「原型」が「嫁取りの話」だったということになります。

　鳥越さんは、民話で「しあわせ」を手にする時の具体的な内容の２番目に結婚が入っているとしています。権力よりも手に入れたいと思う内容だったということです。

　そして、民衆には手に入れることの難しい「しあわせ」が民話に入れられたと言います。

　本来、嫁取りの内容は、民話には備わっていた部分だったけれども、近年、その復活の展望があり（冨田博之さんの学校劇「桃太郎」など）、鳥越さんや松居さんの言うように「嫁取りの話」の「桃太郎」が生まれたのだと思います。

　ほかの昔話を考えてみても、やはり姫や娘との幸せな結婚が結末となっているものが多いのですから。

　しかし、鳥越さんの見方だけで、「桃太郎」を「嫁取り話」だったと結論づけてよいのだろうか。もっと、調べなければ。

　姫を助け、桃太郎と結婚するという『ももたろう』の絵本を書いた松居さんの本には、この問題を研究しているものが、きっとあるのではないか？　松居さんの本を改めて探してみようと思いました。

② 見つけた！
松居直著『絵本をみる眼』(日本エディタースクール出版部) に「桃太郎嫁取り」が載っていた！

　そのことが書かれている松居さんの本が見つかりました。『絵本をみる眼』です。

○「私の再話の結末の嫁取りの部分について（……）柳田説にヒントをえた。」(P276)

○「柳田國男の『桃太郎の誕生』には、『西洋の「桃太郎」』たちの大旅行は、必ずしも財宝を持って還るといふ為ばかりで無かった。寧ろそれを手段としてよき配偶者とよき家を得、更に佳き児を儲けて末永く栄えんとして居るのである。」(P277)

○「お姫さまというのは昔話では象徴的に男性のあこがれの的。」(P276)

○「かつては子孫繁栄ということは身分を問わず、すべての人々の素朴な願いでした。」(P276)

○「嫁取りの話というのは昔話の典型としてあるわけです。」(P255)

○「桃太郎はおにに勝ち、お姫さまを連れて帰ってきました。昔話的にいえば、桃太郎にはお姫さまと縁組する必要条件が備わったわけで、したがって結婚します。これも昔話の常套手段です。」(P276)

○しかし、「おそらく江戸時代あたりから、子どもに『桃太郎』の話を聞かせる中で、最後の結末を嫁取りの形ではなく、宝物ということでくくったのではないか。（……）つまり、はっきりと子どもを対象に語るときには、男女の関係に触れず、男性イメージで勇ましい英雄譚に語りかえてしまったのでしょう。」(P255)

　　　　　　　　　※赤波線はよつば（娘や姫に関係する文につけた）

考えたこと

　松井さんが引用した柳田國男さんの見方に衝撃を受けました。桃太郎は鬼退治をして宝物を持ち帰るだけではなく、お姫さまと結婚して子孫繁栄をしているというのです。松居さんも、柳田説にヒントを得て、「嫁取り話」の桃太郎にしたと言っています。

　松居さんによると、子どもたちに桃太郎を聞かせるにあたって、江戸時代頃には、最後の部分＝嫁取りの部分が宝物を得る結末、つまり英雄譚に変わってしまったと見ています。桃太郎の生まれ方が時代とともに変化したことと同じだと気づきました。

　明治27（1894）年に教科書に載るため、桃を食べた爺婆から生まれた「回春型」から桃から生まれる「果生型」に変わったのでした（私の『桃太郎は盗人なのか？』47ページ）。

　でも、「嫁取り」は変化しなくてはならないほど、都合が悪いものだろうか？　子どもに「桃太郎」の話を聞かせる上で、「嫁取り」の結末部分を消して、「宝取り」に変化したとするのだとすれば、「一寸法師」や「瓜子姫」、「こんび太郎」など多くの昔話では、最後に姫やとらわれた娘と結婚する昔話になっているのはおかしいとならないだろうか？　それに、「２人は結婚して幸せに暮らしましたとさ」で終わる昔話は多かった気がするので、なおさらです。

　鬼を退治し、姫や娘を助けた結果、結婚したのなら、子どもに聞かせてもよいと思うし、だいたいの昔話はそうだっただろうと思います。

　しかし、福島県のような「嫁探しに行く」という理由であれば、確かに、英雄桃太郎からはほど遠く、たんに女性が好きな桃太郎像になってしまいます。なんだかショック。

滑川道夫さんが松居さんの『ももたろう』について『桃太郎像の変容』で書かれてあったので、そこにも「嫁取り桃太郎」のことが書かれているのではないか？　探してみようと思います。

③滑川道夫著『桃太郎像の変容』にも、 桃太郎の嫁取りや幸福な結婚について 載っていた

　滑川さんは、このように書いていました。

○松居直の桃太郎は、「姫を助けて帰る。宝物掠奪が桃太郎の目的ではなかった。」(P328)

○「桃太郎が鬼ヶ島からお姫様（掠奪幽閉されていたのを）救出して帰るとか、帰ってからお嫁さんにするといったものは、江戸期の赤本にもみられるし、民間口承説話にもある。嫁取り噺の話根が桃太郎噺と結びついたものとしてある。(……) だからといって、もちろん、それを「桃太郎噺」の原型とするには無理があるだろう。松居桃太郎も、これまでの民俗学的研究を踏まえて再創造したという意味である。」(P529〜530)

○「文字化される以前において、桃太郎噺の聞き手の中に子どもが参加するようになったときから、桃太郎像が低年齢化してきた。妻覓ぎ・嫁取噺の欠落もそこに起因するものであっただろう。」

○「財宝を得て還るだけでなく、それを手段としてよき配偶者を得て末ながく栄えるものが多いのに、桃太郎に重要な『妻覓ぎ』の一条が省かれているのは、『近代の桃太郎は子供を主人公にしたといふよりも、寧ろ子供にのみ聴かせる話であった為に』妻覓

ぎの一条を省いたのであった。と、柳田國男はみている。(P503〜504)

○「桃太郎も初めは美しい妻を獲たことであつたろうが、少なくとも美しい妻を獲た桃太郎の話もあるにはあるが、中央部の標準桃太郎の出来上ってしまつた今日、『お前の方の桃太郎を聞かせて呉れ』と云ふことが出来なくなった。」(P499)

○「このような柳田民俗学の考察によると、桃太郎噺には、さまざまな話根が結合したり離散して変動を続けたことになる。小さ子の英雄成功譚、動物報恩譚、求婚譚など、桃太郎噺と『元は一つ』であろうと思われる、としている。」(P499)

※赤波線はよつば（娘や姫に関係する文につけた）

考えたこと

柳田國男さんの考察に衝撃!!

　滑川さんの本で「嫁取噺・妻覓ぎ」という言葉を初めて知りました。でも、どういう意味なのだろう？　なんと読むのか？　まったく分かりませんでした。

　滑川さんによれば、姫を鬼ヶ島から救出して帰ったり、嫁にするという話は、江戸時代の赤本（江戸時代の子ども向けの絵本で、表紙が丹色〈赤〉だったため「赤本」と呼ばれました）にも見られ、口伝えでの昔話でも伝わっているとありました。これはやはり、昔から嫁取りの話はずっとあって、赤本や、民間口承説話にもあったわけです。

　しかし、「幸福な結婚」とはなんだろう？

　それにしても、なによりも柳田國男さんの見方には驚きました。美しい妻を獲るために鬼ヶ島へ行ったとしているからです。これには、

本当にびっくりです。桃太郎は、もともと鬼退治や宝物を得るためではなく、求婚譚の話だったと述べているのですから。また、子どもに聞かせるために、妻覓ぎの一条を省いたとありましたが、これは、どういう意味なのだろう？

　以上見てきたように、柳田説をヒントに松居さんが絵本『ももたろう』の結末を嫁取りにしたことや、滑川さんがやはり柳田國男さんの見方を知ったことが、この問題を考えるきっかけになっているのですから、私も柳田さんの民俗学に興味を持ちました。
　そこで、柳田國男著『桃太郎の誕生』（角川学芸出版）と『定本　柳田國男集』（筑摩書房）を図書館から借りて、どのようなことが書かれているのか、次の「④」でまとめてみようと思います。

④柳田國男さんの見方から、「嫁取り噺・妻覓ぎ」の桃太郎について考える

　柳田さんは、まず、『定本　柳田國男集　第30巻』で、「桃太郎」は、美しい妻を獲ること＝求婚が目的の話だったと述べています。それは次の通りです。

> 　「今一つの形式は最後に美しい妻を獲ることであるが、それが桃太郎の話には缺けてゐる。『御曹司島渡り』などに於いては、美しい妻を獲ることが目的でもあり手段でもある。桃太郎も初めは美しい妻を獲たことであつたらうが、少なくとも美しい妻を獲た桃太郎の話もあるにはあるが、中央部の標準桃太郎の出來上つてしまつた今日、『お前の法（方）の桃太郎を聞かせて呉れ』と云うことが出來なくなつた」(P154)

※赤波線はよつば（娘や姫に関係する文につけた）

　これは、桃太郎は、鬼を退治することや宝物を得ることが目的ではなく、美しい妻を獲ることが目的で、鬼ヶ島へ行ったという物語が存在するが、標準の「型」ができてしまったので、消えていったということだと思います。

　私は、小学５年生の調べ学習で、「何も悪いことをしていない鬼の宝物を分捕ろうとする桃太郎は、盗人なのではないか」と考えましたが、それとこれはどういう関係になるのか？　桃太郎は盗人どころか、鬼ヶ島に行く理由や目的が全然違うのですから。

　しかも、『定本　柳田國男集　第30巻』の中の「桃太郎根原記」は昭和５（1930）年に執筆されています。「美しい妻を獲た桃太郎の話もあるにはあるが」のところから、昭和初期には美しい妻を獲ることが目的の「桃太郎」昔話があったと想像できます。

　しかし、「中央部の標準桃太郎の出來上がってしまつた今日」とい

う頃から、すでに「悪い鬼を退治するために桃太郎が鬼ヶ島へ行った」という英雄桃太郎が確立されてしまっていたと考えられます。

　そうなったことで、美しい妻を獲るという部分が欠けていき、消されてしまった。だから当初は、私たちの世代では聞いたことがない、驚きの「桃太郎」＝「嫁取り桃太郎」の話だったのではないでしょうか？

　柳田さんは次のようにも書いています。

> 「小さ子（桃太郎もその一人）の遠征譚は求婚を中心として發生し得たのである」(P154)

※赤波線はよつば（娘や姫に関係する文につけた）

　柳田さんによれば、桃太郎の古い形は、「瓜子姫」であり、「一寸法師」「物臭太郎」「桃太郎」の３つの話は「元は一つであろうと思はれる」（『定本　柳田國男集　第30巻』P155）とも述べており、小さな姫や小さな男の子で人間の腹から生まれなかった話を「小さ子」物語と名付けていたようです。そして、「小さ子」の昔話は、結婚することを中心とした話だったと言います。

　美しい妻を獲るために鬼ヶ島へ行ったのならば、さらわれた姫や娘を助けるために鬼退治に行くという理由はわかります。しかし、求婚ということであれば、どうして鬼退治に行ったのだろう？

　「求婚を中心として発生した」ということは、その時のお話では鬼ヶ島には行っておらず、嫁を探しに行くだけのお話なのだろうか？　つまり、子孫繁栄をして幸せになりたいという目的に変わってくるのではないだろうか？

　そう言えば、福島県双葉郡の「桃太郎」は、鬼退治どころか鬼も出てきません。たんに嫁探しに行くという話です。求婚相手を探しに行く「桃太郎」話であれば、滑川さんの本に載っていた「嫁取り

噺」（この本の77〜78ページ）について納得できます。

　次に考えたいのは、もう一つの疑問「妻覓ぎ」についてです。柳田國男さんの『桃太郎の誕生』（角川学芸出版、角川ソフィア文庫）から考えていこうと思います。

　柳田さんは、『桃太郎の誕生』の「七　妻もとめ」で、近代の「桃太郎」は、妻覓ぎの一条を省いたものだと述べていました。その文は次のようなものでした。

> 「察するに近代の『桃太郎』は子供を主人公にしたというよりも、むしろ子供にのみ聞かせる話であったために、計画をもってこの重要なる妻覓ぎの一条を省いたのであった。」(P38)

※赤波線はよつば（娘や姫に関係する文につけた）

「妻覓ぎ」という言葉を初めて知ったのは、滑川さんがこの柳田さんの文章を引用した『桃太郎の変容』からでした。

　この「妻覓ぎの一条を省いた」という理由は、もしかしたら、妻＝お婆さんが桃を食べて若返って桃太郎を産むという「回春型」の場面が省かれていたということだろうか？

　私は、明治20（1887）年に『尋常小學校讀本』という教科書になった時に、川から流れて来た桃から産まれたという「果生型」が標準になったということを調べました（『桃太郎は盗人なのか？』44〜45ページの「鬼ヶ島へ行った理由」の年表）。これを柳田さんの「むしろ子供のみに聞かせる話であったために」という言葉から考えると、「子供たちには聞かせたくないから消した」と想像できます。

　ただ、「妻＝お婆さん」という私の予想は当たっているのだろうか？心配なので、「妻覓ぎ」という言葉を調べてみることにしました。しかし、辞書を引いたり、インターネットで検索したりしましたが、なかなか見つからず、言葉の意味はわかりませんでした。

そこで、再度、山口和晃先生に相談してみました。

「妻覓ぎ」という言葉は、初めて聞いたなあ。わからなくてごめんね。柳田國男と言えば、長野県飯田市に縁がある人だよね。國學院大學の時の友達で、長野県飯田市美術博物館で学芸員をしている人がいるんだけど、「柳田國男館」があると聞いたことがあるよ。もしよかったら、友達に連絡してみたらどうかな？
（山口和晃先生）

2021年7月30日　君津市立中央図書館にて　母撮影

　そこで、山口先生が紹介してくださった長野県飯田市美術博物館学芸員の近藤大知さんにお聞きすることにしました。早速、近藤さんに電話で問い合わせたところ、インタビューにこたえてくださると言ってくださいました。コロナウイルス感染症の心配と不安もあ

ったのですが、どうしても直接お話を聞きたかったので、行くことにしました。

　しかも、「柳田國男館」は、飯田市美術博物館に併設されているとのことだったので、そこも訪ねたいと思いました。

「柳田國男館」とは

　「柳田國男館」は、東京にある柳田國男の書屋を飯田市に移築したもので、平成元年に建てられた「柳田國男館」は、平成28年に国登録有形文化財となっていました。書斎には柳田國男の著書や、柳田國男に関する本が並んでいます。本棚は、壁の周り一面に天井近くまであり、本を取るためのはしごが必要なほどです。非常に綺麗で、古い建物には見えませんでした。

　柳田國男さんは、日本民俗学の父と呼ばれ、長年民俗学の研究をしてきた方です。柳田さんは旧飯田藩士・柳田家の養子にとられ、何度か伊那谷地区を訪れたそうで、その縁もあって「柳田國男館」には、柳田國男記念伊那民俗学研究所もあり、伊那谷地区の民俗や伝統芸能、季節の行事などの掲示物もありました。とても面白かったです。

　柳田さんの日本民俗学は、普通の民の歴史を、従来の文書による方法ではなく、言い伝えなどの伝承資料によって実証的に明らかにしようとしたものだと言われています。

（「柳田國男館パンフレット」・「柳田國男館HP」）

写真提供：飯田市美術博物館

6

妻覓ぎの意味を探る

2021年7月27日　柳田國男館にて
学芸員の近藤大知さんと　母撮影

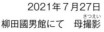
「柳田國男館」で「妻覓ぎ」の桃太郎について聞いてみる

早速、近藤さんに尋ねてみました。
柳田國男の著書に「妻覓ぎの一条を省いた」とありました。「妻覓ぎ」とは、どういう意味なのでしょうか？

色々な文献を確認してみたのですが、「妻覓ぎ」という言葉自体は見つかりませんでした。そこで、「まぐ」という言葉で辞書を引いてみたら載っていました。「求め訪ねる」、「探し求める」という意味ですね。つまり、妻を探すという意味だと思います。「妻覓ぎ」という言葉は、柳田が創作して作った造語だと思われます。

私は今、桃太郎が「お姫さまや娘を助けるために鬼ヶ島へ行ったのではないか」ということについて調べています。柳田さんは、『桃太郎の誕生』で、「妻覓ぎの一条を省いた」と書いてありました。これはどういうことでしょうか？

お姫さまを助ける「桃太郎」はありますよ。紫波郡の桃太郎は読んだかな？
これは、お姫さまを助けて、お爺さんお婆さんのところに一緒に連れ帰っていますよね。
「妻覓ぎの一条を省い

2021年7月27日
柳田國男館にて　母撮影

86

た」という文ですが、「妻を探す」という部分をなくしたという意味ですね。つまり、「桃太郎が妻を探すために鬼ヶ島へ行った」という部分を消して、「悪い鬼を退治するために鬼ヶ島へ行った」という部分だけが残ったということだと思います。

 桃太郎が妻を探すために鬼ヶ島へ行ったという話が、本当の「桃太郎」なのでしょうか？

柳田國男は、「お姫様を連れ帰る桃太郎」が古いと言っていました。また、「力太郎」のお話を子ども向けにしたのが桃太郎で、「瓜子姫」と「力太郎」などが変化して「桃太郎」というお話になったのではないでしょうか。

この話を聞いて、私が爺と婆が桃太郎を産むという「回春型」が省かれるのではないかという予想が外れていることを知りました。「妻覓ぎ」というのは、桃太郎が妻を探し求めるということであって、「回春型」ではないのです。

つまり、桃太郎は時代の変化によって子ども向けにされ、妻を探す部分が省かれてしまったのだったということです。

また、柳田さんはお姫さまを連れ帰る桃太郎の話は、古くからあると言っており、「力太郎」が変化したり、子ども向けになったりして「桃太郎」が生まれたのではないかと考えていたことも分かりました。

そうすると、やはり「桃太郎」は、嫁探しを目的にして鬼ヶ島へ行ったのだろうか？　とても信じられません。

そこでもう一度、柳田國男の著書から「妻覓ぎの桃太郎」について、考えていきたいと思います。

柳田國男の著書から再度、「妻覓ぎの桃太郎」について考える

柳田さんの『桃太郎の誕生』を、もう1度読んでみました。

○西洋の『桃太郎』たちの大旅行は、必ずしも財宝を持って帰るためばかりではなかった。(……) よき配偶者とよき家を得、さらに、よき子をもうけて末永く栄えんとしているのである。(P38)

○現にわれわれが求めているように配偶者を求め、生活に必要な物資、富の獲得が中心課題である。(P470)

○「日本の小さ子説話が、最初小さな動物の形をもって出現した英雄を説き、または、奇怪なる妻問いの成功を中心に展開しているということは、それが右申す神人通婚の言い伝えのまだ固く信じられていた時代にはじまっている証拠として、われわれにとってはかなりたいせつな要点であった。(P43〜44)

※赤波線はよつば（妻覓ぎに関係する文につけた）

考えたこと

　桃太郎は財宝ではなく、配偶者、すなわちお姫さまを助けて栄えようとしていただけなのです。桃太郎の話では、昔の人が求めていた配偶者、生活に必要な物資、富の獲得が中心課題とされ、桃太郎は昔の人々の生活や願いを表わしたものではないかと考えるようになりました。

　「奇怪なる妻問い（妻方の家に夫が通うこと）の成功を中心に展開しているということは、それが右申す神人通婚の言い伝え

のまだ固く信じられていた時代にはじまっている証拠として」
と書いていますが、この文の意味がよく分かりません。妻問い
が信じられていた時代に桃太郎のお話は作られたということで
しょうか？

柳田さんの話は、まだ続きます。

○今日の『桃太郎』童話が、故意にその求婚談（きゅうこんだん）の部分を省略し、もっ
　ぱら鬼が島征伐（おにしませいばつ）の無邪気（むじゃき）なる武勇のみ説くようになると、これ
　と他のいろいろの申し子説話との関係は、どうしても不明にな
　りがちで（ある）。(P193)

○岩手（いわて）の一例だけに誘（ゆう）かいされた娘（むすめ）を助けて来る挿話がある。(……)
　真の昔話は主人公の幸福（そうわ）な結婚（けっこん）をもって終わるのが共通した形
　式である。真の昔話を「妻覓ぎ説話」といって、この形式が本
　来の昔話と主張する研究者も少なくない。(P474「解説」関敬吾)

○桃太郎がただ鬼が島の財宝のみを運搬（うんぱん）して、お姫様を連れて来
　たとはいっておらぬのも、私には童話化時代の脱落（だつらく）としか考え
　られぬのであった。(P272)

○この語りごとの中に、求婚成功の一節があった痕跡（こんせき）があるかも
　しれぬのである。(P194)

※赤波線はよつば（妻覓ぎに関係する文につけた）

考えたこと

　「桃太郎」が童話化し、鬼退治の部分だけが強調され、妻覓ぎ
が省かれたという結論になっています。真の昔話は結婚して終
わるのが普通でした。真の昔話は「妻覓ぎ説話」と呼ばれ、こ
の話が本来の話だと言う研究者も少なくないと言います。
　ということは、やはり妻覓ぎの桃太郎が本当の桃太郎なので

しょうか。岩手県の昔話では、「妻覓ぎ説話」であるけれど、「現代の桃太郎」では、妻覓ぎの部分は省かれて、桃太郎がお姫さまを連れてこなくなったのは、童話化が原因でなくなったのではないかと述べているわけです。

　浜田広介記念館の館長さんが、「大正時代には、創作童話が生まれ、よいお話を子どもたちに読ませたいという時代でした」（『桃太郎は盗人なのか？』79ページ）と言っていたことを思い出しました。ならば、松居さんは、今までの「妻覓ぎ桃太郎ではなく、まったく新しい桃太郎を作ろうとした」のではないでしょうか？

柳田國男（やなぎた・くにお）

　1875年兵庫県生まれ。日本民俗学の創始者として知られます。柳田國男さん以前には顧みられることのなかった普通の人びと（「常民」）の歴史を、従来の文書による方法ではなく、言い伝えなどの伝承資料によって、実証的に明らかにしました。その調査では、日本列島各地にくまなく出掛けています。主な著書に『遠野物語』『日本の祭』『先祖の話』『海上の道』など数多くあります。1962年に亡くなりました。87歳でした。

写真提供：飯田市美術博物館

関敬吾の『桃太郎の誕生』の「解説」から「妻覓ぎ桃太郎」について考える

　関敬吾さんは、柳田さんの『桃太郎の誕生』で、「解説」を書いています。そこで、鬼ヶ島征伐に行く主要目的は、「妻覓ぎ」であると述べていました。それを見てみたいと思います。

> 少童は長じて鬼が島征伐に行く。主要目的は脱落しているが、先生も指摘されたように、「妻覓ぎ」である。(『桃太郎の誕生』収録の関さんの「解説」P474)

　　　　　　　　　　　　※赤波線はよつば（妻覓ぎに関係する文につけた）

考えたこと

　驚きでした。関さんも、桃太郎が鬼ヶ島へ行った目的は、「妻覓ぎ」だと断言していたのです。関さんと言えば、私がお姫さまが出てくる「桃太郎」があるかどうかを調べるために使った『日本昔話大成』の著者です。その人が、しかも、柳田さんの著書である『桃太郎の誕生』の解説をして、次のように言っています。「真の昔話を『妻覓ぎ説話』といって、この形式が本来の昔話と主張する研究者も少なくない」(P474)と。「少なくない」ということは、妻覓ぎが本当の桃太郎という人が多くいるということになります。

　柳田さんや関さんなどのすごい人たちが『妻覓ぎ説話』と言っているのなら、「桃太郎」は妻覓ぎ話であると断定してよいのではないでしょうか？

関さんはその「解説」で、「柳田先生が桃太郎などで述べられた昔話の基本テーマは、大事業遂行、花嫁をもらって家を興すことであった」と書いています。すなわち、大事業＝鬼退治　花嫁＝妻覓ぎ　家を興す＝家が栄え長者になる　ということを表しているのではないだろうか？

　ところで、関さんには「解説」以外にもこのテーマに関係するものがあるのではないかと思い、探してみることにしました。

　ありました！　『関敬吾著作集4　日本昔話の比較研究』（同朋舎出版）のなかに、柳田さんの『桃太郎の誕生』を思わせるような論文「桃太郎の郷土」が収録されていることが分かったのです。

　この論文を読みたいと、夏休み中、袖ケ浦市立中央図書館に『関敬吾著作集4』をリクエストしましたが、夏休みが終了しても本は届かず、国立国会図書館に行くこともコロナ禍の影響で難しい状況でした。

　そこで、関さんの「桃太郎の郷土」をキーワードにインターネット検索をしたところ、その中に、杏林大学の伊藤清司さんの論文「桃太郎のふるさと」がありました。読んでみると、関さんの論文「桃太郎の郷土」の内容のことが書かれていました。

　そこで今回は、伊藤清司さんの論文に教えていただきながら、「妻覓ぎ桃太郎」についての関さんの考えを読み解きたいと思います。

　柳田國男は、「桃太郎昔話では主人公の異常誕生（桃から生まれる＝小さ子）」を中心的理念として解釈してきた。対して、関敬吾は、「個々のモティーフの分析だけでなく全体としての昔話が比較されなければならない。単に童児が桃から生まれたというだけでは誕生モティーフではあっても桃太郎昔話ではない」と、柳田の見解を批判した。（伊藤清司著「桃太郎のふるさと」P20）

　　　　　　　　※赤波線はよつば（妻覓ぎに関係する文につけた）

考えたこと

　関さんも柳田さんと同様、桃太郎話は「妻覓ぎ」であると断定しながらも、「桃太郎話」は、「誕生（桃から生まれる）」だけでなく、全体を比較しなければ「桃太郎話」にはならないと言っているのです。納得です。

　なぜなら、『日本昔話大成3』では、熊本県天草郡やアイヌの話は、桃も出てこなければ、鬼退治にも行かないのに「桃太郎話」の中に分類されていたからです。私は、この2つの話を55、66ページで「桃太郎関係ない型」として分類しましたが、この関さんの考えを知ると、お話としての全体像を見ての判断だったことが分かります。すると、関さんは、どのように視点を置いて「桃太郎話」としたのだろうか？

関さんは、こう言っているそうです。

○関敬吾は、桃太郎話を構成するモティーフは複数あり、その主要なものは以下の3つであるとする。

（1）主人公の異常出生

（2）主人公の不思議な仲間

（3）娘の解放と結婚

○岩手県紫波郡（逃鼠譚型）、岩手県磐井郡（姫取り型）のどちらの話にも桃の子の結婚について言明していないのは、児童を対象とするようになってからの改変である。（「桃太郎のふるさと」P21）

※赤波線はよつば（妻覓ぎに関係する文につけた）

93

考えたこと

　関さんは桃だけでなく、その他の人形や鍋などが関わっての異常な誕生も桃太郎のモティーフとしていることがわかりました。熊本県天草郡の話は、桃ではなく、川から人形が流れてきます。また、アイヌの話は、川から鍋が流れて来て、中を見ると男の子が入っているというものです。

　この２つの話は、桃に全然関係ないのに、どうして「桃太郎」に分類されていたのか不思議です。しかし、関さんは（１）主人公の異常出生があり、後半が（２）（３）のモティーフになっていれば、桃が関係していなくとも、「桃太郎話」だということなのだろうと、私は推測しました。

　岩手県の紫波郡、東磐井郡の話は、どちらも姫や娘を連れ帰っていますが、「結婚した」とは書かれていないものでした。本来は、桃太郎と結婚していたのでしょうが、児童を対象にする物語になってから、変更されたということだと思います。松居さんも柳田さんも、「桃太郎」話を子どもに話すようになってから「嫁取り」が消えていったという考えをもっていたということで、関さんもその点は一致していますから。

伊藤さんの論文から、もう少し考えてみたいと思います。

○桃太郎の原型は「我が国で成立したものではなく」、海外より移動してきた「帰化昔話」であると、関は結論づけた。

○「桃太郎」の郷土を問題にする場合も同様に、桃の実から誕生した異常出生児が異常な成長をとげて対立する障害に打ち勝ち、やがてめでたく結婚する物語が育てられた土地とするならば、まずは中国大陸こそ「桃太郎」の故郷であったと見るべきである。

○関敬吾は、「桃太郎」昔話の求婚難題的側面に注目していた。石川県江沼地方の「三人仲間」も本来は「求婚難題」譚であったと見ている。(「桃太郎のふるさと」P22、29、28)

考えたこと

　伊藤さんの論文には、上には引用しませんでしたが、中国山東省の「棗核児（ナツメっ子)」や中国江南地方の「蘋果郎（りんご太郎)」のことが書かれていて、それぞれナツメの実やリンゴから生まれています。これらは「桃太郎」に「うますぎるくらい似て」いて、「『桃太郎』のプロトタイプが中国に流布していた可能性を示唆している」(P26)とも述べています。また、中国の「八兄弟」の話や中国雲南省の「金龍報仇（金龍の仇討ち)」は桃や桃の実から生まれていることが紹介されていますが、冬瓜や瓢箪など、桃以外の異常誕生は、中国大陸にも多いそうです（P25)。関さんは、そのほかにもギリシア英雄伝説「アナゴナウテン」や朝鮮半島の「四巨人（四人の大男)」、中国貴州省の「桃季哥和魔法師的女児（桃の子太郎と魔法使の娘)」の例をあげ、それらは「桃太郎」のモティーフだと述べていると言います。そして、すべてが結婚するという結末になっていることに着目しているそうです（P28)。

　このような話から関さんは、「桃太郎」の原型は、中国など海外より移動してきた「帰化昔話」と見ているわけなのです。

　また、関さんは「三人仲間」と特徴付けている石川県江沼地方の「桃太郎」を取り上げています。これは、からすけ太郎、柿太郎の「三人仲間」と共に、「鬼の牙」を取りに行く話です。私は、これを「鬼の部位持ち帰り型」と分類しました。

ところが、伊藤さんによると、関さんは「桃太郎」の場合も、難題を求婚者に課してそれを克服していく「求婚難題」譚としているというのです（P28）。

　しかし、石川県江沼地方の「桃太郎」は、姫や娘は出てきません。それどころか目的も不明で、急に爺に「鬼の牙を取ってこい」と言われるのです。そのことを見ると「求婚難題」譚とは言い難いと思うのですが、きっと関さんはそれ以外のことにも目を配って結論しているのだと思います。それだけに、本書の92ページに書いた事情で、関さんの論文「桃太郎の郷土」をまだ直接には読めていないのが残念です。改めて、早く読みたいと思っています。

　私はこの「求婚難題」譚を知った時、「竹取物語」で、かぐや姫と結婚するために、貴公子たちが難題をクリアすることが条件とされていたことを思い出しました。そのようなことを考えると、もしかしたら、石川県江沼地方の話も「鬼の牙」を持ち帰れば、姫・娘と結婚できるという話だったのではないでしょうか？　これも、「妻覓ぎ」と想像できるのではないのでしょうか？

　それでは次に、「便所の屋根葺き型」「閑所の屋根葺き型」を書籍に掲載していたという野村純一さんの著書『桃太郎と鬼』から「妻覓ぎ」について考えていくことにしたいと思います。

野村純一の『桃太郎と鬼』から妻覓ぎ桃太郎について考える

　なぜこのテーマで『桃太郎と鬼』を読みたいと思ったのかというと、この本に収録されている「解説」で、南九州大学教授の矢口裕康さんと名古屋経済大学准教授（当時）の高木史人さんは野村さんが柳田國男の『桃太郎の誕生』への想いを語った「私の古典」という文章をひいています。「この国の誰しもが知っている桃太郎の一話は、実は後半に欠落部分があるはずだ。すなわち、そこに欠けているのは婚姻の条であって、これが充足してはじめて桃太郎は完結した話になるという論理に魅了された」（P371）と書いていたからでした。

※赤波線はよつば（妻覓ぎに関係する文につけた）

野村さんによる「桃太郎話」の図式化

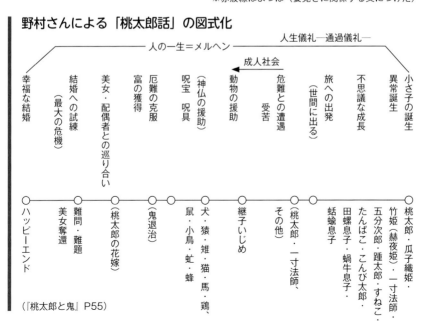

（『桃太郎と鬼』P55）

考えたこと

　私は、全国各地の桃太郎話を色々な型に分類してみましたが、それぞれで語られる内容は、変化はするものの決まったストーリー展開がありました。その桃太郎話を野村さんのように図式化すると、とてもわかりやすい！「異常誕生」とは桃から生まれること。「不思議な成長」とは急激に大きくなったり、力持ちになったりすること。「旅」は、鬼退治であったり、何かを探し求めたり、妻覓ぎであったりと色々な目的での出発でした。「動物の援助」とは、犬・猿・雉の一般的なものだけでなく、猿蟹合戦、花咲か爺、浦島太郎などの登場人物の３匹をお供にしたり助けられたりする内容のことでしょうか？　私が読み比べした中には、野村さんが例示している馬や猫がお供になる桃太郎話はなかったのですが、どんな内容だったのか、読んでみたい！

　図式化された結末は、桃太郎が幸福な結婚をして「ハッピーエンド」になることで終わっています。結婚の試練として難問難題にぶち当たり、美女を奪還する——それが鬼退治であり、妻覓ぎなのだろうと思います。

さらに、野村さんのお話は続きます。

○柳田の欲していたのは、まずは旅の主人公が故郷に「財宝を持って還」り、ついで「それを手段としてよき配偶者とよき家を得、更に佳き児を儲けて末永く栄え」た、つまりはさきにいった「一期栄えた」「ハッピー・エンド」の話であった。（P61）

○久しく柳田國男が訊ねていたのは、ひとえに"妻覓ぎの一条"、もしくは「妻問ひの成功」を充分に満たしている桃太郎"という点にあった。それが本来的に柳田の望む桃太郎であり、冀求（強

く求めること）する理想の桃太郎話であったのである。(P62)

○理想的な桃太郎は、たまたま何かの事件に巻き込まれて、鬼どもに攫われたお姫様が、地獄に囚われの身になる。姫は周囲の目を盗んで"黍団子"を求める救いの手紙を書く。それを鴉に持たせて桃太郎の処に送り届けた。(P63)

考えたこと

　野村さんは、柳田さんが理想としていた「妻覓ぎ」「妻問いの成功」の一条をきちんと備えていた桃太郎話の原型だとされています。つまり、結婚してハッピーエンドの結末になる桃太郎話が本来の「桃太郎」だとしています。

　柳田さんが望んでいた桃太郎は、妻覓ぎの桃太郎であって、よき配偶者と佳き児を儲けることが本来の姿だったというのです。

　やはり本来の桃太郎は、妻覓ぎの桃太郎で、現代の桃太郎は子ども向けに作られた簡単なお話になっていたということになると思います。ほかの昔話でも、お姫さまやさらわれた娘と結婚するというような結末が多いので、桃太郎も同様なハッピーエンドの結末だったとしても納得します。

　しかし、悪い鬼を退治するために鬼ヶ島へ行ったのではなく、結婚相手を見つけるために旅に出るというのでは、今までの私の桃太郎像が崩れてしまう！　私が理想とする桃太郎は、何らかの試練や難題に立ち向かう英雄桃太郎でいてほしい！　それが成功した結果、ご褒美としての妻覓ぎがあるのであれば、桃太郎話が完結した感じがする！

野村さんの著書を読み進めると、「ハッピーエンドの桃太郎」の絵本を作られたと、以下のように記述されていました。

「ハッピー・エンドの桃太郎」

○英雄に共通の要素として、彼等はまず不思議な誕生をします。この子どもたちは、次に目覚ましい成長を遂げます。そして旅に出ます。冒険を試みるわけです。すぐれた仲間や援助者を得て、危難を克服し、富を獲得します。祝福されて美女と結ばれます。しかし、広く知られている桃太郎話には結婚相手は不在でした。ここから「桃太郎の花嫁」は、いつも話題になってきました。

（『桃太郎と鬼』収録「ハッピー・エンドの桃太郎」P61〜63）

　ハッピーエンドの桃太郎を読んでみたいと思い探したところ、すぐに見つかりました。その絵本は奈良県の田原本町観光協会が発行元でした。田原本町と言えば、桃太郎の伝説地として名乗りを上げているところでもあります。早速、田原本町観光協会（現在は、田原本まちづくり観光振興機構）に連絡をしたところ、『ももたろう完結版』を送ってくださいました。その際に、桃太郎についての調べ学習をしていると伝えたところ、たくさんの資料も同封いただきました。ありがとうございます。

画:守屋裕史　監修:野村純一（日本口承文芸学会会長）

守屋裕史画 野村純一監修『ももたろう 完結版』（田原本町観光協会発行）

『ももたろう　完結版』は、私の英雄桃太郎像に近い

　まず、『ももたろう　完結版』を紹介したいと思います。

　この絵本発行については、2001年に「全国桃太郎サミット田原本町」が開催され、シンポジウムを行った中での多数のパネラーの意見が出されたことにさかのぼるそうです。田原本町観光協会会長西村輝夫さん（2003年当時）によれば、世界の英雄伝説は富を得るのと同時に、必ず最後に意中の人にめぐりあって、"ハッピーエンドに終わるのですが、桃太郎にはそれがない。"「桃太郎」の昔話は未完結である。そこで、「桃太郎にお嫁さんをみつけよう」「花嫁にめぐり合う桃太郎の話を世界に広めよう」という提言のもと、この絵本が出版されたそうです。（『ももたろう　完結版』「発刊にあたって」）

　　鬼がお姫様をさらっている所だ。この場面の絵が入ることで、村の財産だけでなく姫も一緒にさらっていったことがわかる。このことから、桃太郎は、妻を探すためではなく、悪い鬼を退治しに鬼ヶ島へ行ったことがわかる。（『ももたろう　完結版』P7）

桃太郎がお姫様を助けた所だ。お姫様は笑顔で、心なしか桃太郎のことをじっと見つめているように見える。(『ももたろう　完結版』P19)

　お姫様と桃太郎が結婚式をしている所だ。文に、「心をいれかえた鬼たちも」とある。退治されたことによって心を入れ替えた鬼が祝いに来てくれたのだった。桃太郎は鬼から取り返した宝物を自分のものにせず、しっかり村の人たちに返している。桃太郎は宝物を持ち帰り、お姫様を助けて妻にしている。まさしく、柳田國男の言っていた妻覓ぎ桃太郎である。(『ももたろう　完結版』P27)

『ももたろう　完結版』は、岩手県紫波郡の「桃太郎」に似ている部分が多いのですが、一番は、姫が鬼にさらわれたこと。そこにお姫さまを助け、結婚したことを入れることで、柳田國男さん・関敬吾さん・野村純一さんらが言っていた「妻覓ぎの桃太郎」になっています。

　だから、『ももたろう　完結版』では、妻を探すためではなく、悪い鬼を退治し、お姫さまを助けるためであった！　そして、結婚もする「ハッピーエンド」です。この桃太郎は私の英雄桃太郎像に近い！

「妻覓ぎ桃太郎」についての現時点の私の結論

○「桃太郎」は姫（娘）を助けるために鬼ヶ島へ行き、結婚する結末の昔話である。つまり「桃太郎」は、「妻覓ぎ」の昔話であった。
○姫と結婚するという妻覓ぎの結末は、子どもに聞かせる話になってから削除され、鬼から財宝を取り返すという結末になった。また、童話化の影響もあり、児童に都合のよい話に変化した。

　このように、私は、本当の「桃太郎」は妻覓ぎの話だと現時点で結論づけました。

　しかし、日本全国の昔話の中から「お姫さまや娘が出てくる」話は３つしか見つからなかったのに、よいのでしょうか？

　そこで、本当の桃太郎話について、テレビ番組「ファクトチェック」（日本テレビ、2021年５月２日）で一緒に出演した立石憲利さんに聞くことにしました。

7

本当の桃太郎を探す

2021年7月28日　山梨県大月市　桃太郎館にて　母撮影

「妻覓ぎ桃太郎」が本当の桃太郎なのか聞いてみる

2021年8月22〜24日の2泊3日で、岡山県の吉備津彦神社や香川県の鬼無村などにフィールドワークに行く予定でした。その一番の目的は、初日に立石憲利さんに直接インタビューすること。

ところが、8月2日に千葉県を含む首都圏に緊急事態宣言が出され、立石さんが住む岡山県総社市にまん延防止等重点措置が出されたことから、母と立石さんが相談して岡山県行きを諦めることにしました。

しかし、どうしてもお話を伺いたかったので、立石さんに電話でのインタビューをお願いしました。聞きたいことは、あらかじめ手紙でお伝えしていましたが、約1時間30分の長いインタビューになってしまいました。同じことを何度も質問したり、難しい言葉や内容については、聞き返したりしてしまった私に、とても優しく丁寧に教えてくださいました。本だけでは分からなかったことも、直接聞くことができ、より深く理解することができました。

立石憲利　岡山県在住の民俗学者で、日本民話の会会長、日本桃太郎会連合会会長、岡山民俗学会名誉理事長などを歴任しています。桃太郎話に関連する書籍もたくさん出版しています。
岡山市旭操学区連合町内会HP
https://townweb.e-okayamacity.jp/c-kyokusou-r/2019/12/27
立石おじさんこと立石憲利さんの「おかやまと桃太郎」を語る会

2021年8月22日　自宅にて　母撮影

桃太郎は、お姫さまを助けるために鬼ヶ島へ行ったのですか？

そういう話もあります。昔は今みたいに本がなかったので、口で直接語って聞かせていました。伝える人や場所によって内容がものすごく違います。物語は文字ではなく、口で伝えられたものですから、伝える人や地域によって少しずつ違ってきて、面白いですね。

　時代背景としては、だいたい鎌倉時代から室町時代のころにかけて、朝鮮や中国の沿岸に倭寇という日本の海賊がいて、中国や朝鮮から物を盗んできたのです。そういうものが背景にあって今のような桃太郎の話ができたというのが一般的に言われています。また、朝鮮や中国に攻めていって、日本にないようなものを取って来るという歴史上の事実があり、鬼退治の桃太郎ができたと言われています。

　いい奥さんを得るためだというお話もありますが、財宝を取って帰るのが一般的です。奥さんを探してくるというのは、やはり外国に行くと連れて帰るのは一般的ですから、そういうものがあったのは、その通りだろうと思います。

私は「桃太郎」は嫁取り話だったのではないかと考えています。柳田國男さんは「妻覓ぎの桃太郎」が一番古いと書いていました。本当でしょうか？

さっきもその話はちょっとしましたけど、日本が中国や朝鮮に行って、ものを取って来るのと同時に、地方の女性を連れて帰るというのはあると思うんです。昔は今と違って、結婚相手を見つけるのは中々大変だったんですね。好きな人と結婚する人もいたにはいたかもしれませんが、村の小さい集落の中で奥さんにする人を決めるのは、とても大変でした。

　というのは、すてきな女性がいたら、たくさんの男性が奥さんに

したいと思いますよね。優秀な男性、魅力的な男性でしたら、すぐに結婚できたでしょう。でも、能力がなかったり、少し劣ったりした男性は、なかなか結婚相手を見つけるのは難しかったと思います。

　結婚相手を求めるということは若い成人男性にとって、最も重要だったんですね。

　では、どういう時に結婚相手を見つけるか。それは、お祭りや盆踊りの時などの、人がたくさん集まってくる時が多いんです。盆踊りの時は、町の全域だけでなく、よその村から人が集まって来るのが典型的なんですね。そういう時にいい人がいたら声をかけて結婚するという例が多い。まさに、妻覚ぎなんです。

　桃太郎は、実在した人物だと思いますか？

　桃太郎や桃太郎に出てくる鬼は実在した人物ではないと思います。昔の人たちが頭の中で考えて作ったものです。「瓜子姫」、「一寸法師」、「竹取物語」などでは、小さなものの中から小さな子どもが生まれ、それが急速に大きくなって特別な力を持つ。そういう昔話は、たくさんあります。

　桃太郎の伝説地となっているところがたくさんあると思いますが、あれも、本当に存在していないと思っています。岡山県の伝説では、吉備津彦尊が温羅という鬼を退治したという伝説があります。その伝説と桃太郎はまったく関係ない。これは、こじつけではないかなあ、と思っています。

考えたこと

　桃太郎のお話は文字ではなく、口伝えで伝わってきたと改めて聞くと、とても新鮮でした。伝える人や地域によって差が出

るのは、それが原因だろうと思います。

　さらに、「桃太郎」は、時代に影響を受けて内容も変化してきます。立石さんが「桃太郎」の話が生まれたのは、鎌倉時代から室町時代だと教えてくれましたが、この時期は武士や大名が力をつけた時代。そんななかで、桃太郎の鬼退治物語が生まれたと言われても違和感はありません。

　海外侵略の時に財宝に加え、妻を連れて帰っていたのなら、桃太郎の妻覓ぎがあっても不思議ではないとも思います。

　しかし、桃太郎が娘やお姫さまを自分の妻にしようとしたり、嫁探しをしたりするために鬼ヶ島へ行っていたのなら、なんだか自分のためだけのようでがっかりな気持ちになるのは、私だけでしょうか。

　しかし、昔は結婚するのが難しかったと立石さんは話してくれました。だから、鬼ヶ島のような遠くて困難なところに出掛けて行ってでも、娘やお姫さまを連れ帰り、妻にしようとする話ができていったのではないかと考えます。

　また、51〜52ページで書いた「閑所の屋根葺き型」の桃太郎は、祭りなどの民俗行事をおこなう上での人々の移動によって新潟県から福島県へ伝わったと結論づけましたが、立石さんのお話からも祭りで結婚相手を見つけていたと聞き、すべてがつながっているのだと改めて実感しました。

　私は、「桃太郎噺の中に庶民の願望がある」ことについて（本書41〜43ページ）調べましたが、まさに、妻覓ぎは民衆の願望なのだと確認することができました。

　桃太郎の話と岡山県の桃太郎伝説は「こじつけ」という立石さんの話は、とても衝撃でした。岡山県は、桃太郎で有名だし、

桃太郎伝説では一番有力な場所です。それを「こじつけ」とは
信じられないからです。

　そこで、最後の調べ学習として桃太郎の伝説地について調べ
ていこうと思います。

8

桃太郎の発祥を探る

2021年7月28日　山梨県大月市　鬼の洞窟前にて　母撮影

「桃太郎」の本当の伝説地は、どこなのか？

　日本各地には、桃太郎の伝説地と言われているところがたくさんあります。その中でも有力とされているのが、岡山県岡山市、香川県高松市、愛知県犬山市の３つだと思っていました。

　そう思っていたのですが、2021年10月16日に山梨県大月市で「第18回桃太郎サミット2021」が開催されることになり、その中で私も「桃太郎は盗人なのか？」のお話をすることになりました。その時に、初めて山梨県大月市が桃太郎の伝説地だということを知ることになりました。色々とお話を聞くと、山梨県大月市のほかに奈良県田原本町、岡山県美咲町、富山県富山市が桃太郎伝説地として名乗りをあげているそうです。

　「桃太郎サミット」の打ち合わせとして、本番に先立って７月28日に「大月桃太郎連絡会議」のみなさんとお会いし、大月市の桃太郎伝説地を紹介いただきました。

鬼の盃

猿橋

鬼の石杖

鬼の洞窟

すべての写真　2021年７月28日
大月桃太郎伝説地にて　母撮影

九鬼山

斎藤五百枝著『桃太郎』
（大日本雄弁会講談社）

　この時に、「大月桃太郎」を研究し、伝説地を詳しく教えてくださった和田定夫さんから、面白いことを教えてもらいました。

　それは、昭和12（1937）年に大日本雄弁会講談社が発行した絵本『桃太郎』の巻末付録に関わることでした。その巻末付録が次ページの上段です。

●講談社発行の絵本『桃太郎』の巻末付録

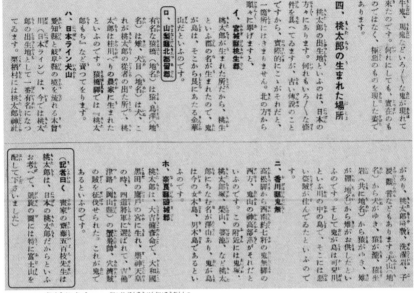

『桃太郎』斎藤五百枝著　大日本雄弁会講談社、1937年、巻末付録

　また、この時には「大月桃太郎連絡会議」のみなさんが、たくさんの資料を見せてくださいました。そのなかで私が面白いと思ったのが、右ページの昔話絵本です。

　「大月桃太郎連絡会議」の方のお話によると、昭和12（1937）年の講談社の『桃太郎』の巻末付録には、桃太郎の生まれた場所として岡山県は記載されていないとのことでした。しかも、この絵本に描かれている富士山は、大月市から見える角度のものだと言うのです。そのことから大月市が本当の「桃太郎伝説の地」だという主張がとても面白かったし、納得できました。

　とは言え、講談社の桃太郎の絵を描いた斎藤五百枝さんは、「日本の桃太郎だから、凱旋の図には富士山を配置した」と話していると、「巻末付録」に書いています。

　だから、この絵も日本の象徴として富士山が描かれているのでは

『桃太郎』斎藤五百枝著　大日本雄弁会講談社
（1937年）

『桃太郎』猪野賢一編集　大日本雄弁会講談社
（1957年）

『桃太郎』猪野賢一編集　講談社（1966年）

ないかと予想しますが、大月市の皆さんの前ではとても大きな声では言えませんでした。ですが、この時の桃太郎伝説地はどこなのかの討論は、とても楽しいものでした。

　では、結局、どこが桃太郎伝説地なのでしょうか？

　そこで、立石さんがおっしゃっていた「岡山県の桃太郎伝説は、こじつけである」ということを、立石さんらの著書『桃太郎は今も元気だ』（おかやま桃太郎研究会編）から調べることにしました。

○岡山と桃太郎が結びつけられるようになったのは、1930年、難波金之助が『桃太郎の史実』を発刊して以来のことだ。ここでは、岡山県南で伝承され、また文書にも残っている吉備津彦の温羅退治の話を昔話の桃太郎と結びつけようとしたものである。

○当時は、各地で有名な桃太郎の昔話が、特定の地に結びつけられた時期で、その代表が香川県鬼無であり、愛知県犬山である。それに後れをとったとして岡山でも同じような試みがなされた。

○一種の地域おこし、地域宣伝に有名な昔話や伝説、そして神話

などを結びつけることが、当時各地で行われており、岡山の例もその一つといえるだろう。(以上、P68、69)

考えたこと

　岡山県で伝承されてきた「吉備津彦の温羅の鬼退治」の伝説と「桃太郎」の昔話を、彫金家で「吉備の桃太郎会」を結成した難波金之助が結び付けたということは、2つの話は同じではないということになります。

　つまり、岡山県の桃太郎伝説としている「吉備津彦の温羅の鬼退治」は「桃太郎」ではなく、地域に伝わる神話や民話のようなもので、それにこじつけて桃太郎にしたと言ってもいいのではないだろうか。

　また、その当時は、岡山県でなく香川県鬼無や愛知県犬山などでも、「我こそが桃太郎伝説地である」と言い出した時期に重なるということですから、日本で一番有名な昔話「桃太郎」を観光地として人を集めるために、地域おこしに利用したと考えられるのではないだろうか。

そのことを裏付けるように、『桃太郎は今も元気だ』には、次のようなことも書かれています。

○桃太郎を岡山売り出しに全面的に活用したのが、1962（昭和37）年の第17回岡山国体における時の岡山県知事である三木行治氏だった。

○岡山国体を開催するにあたっては、シンボルとして桃太郎を大いに活用した。岡山駅前には、桃太郎のトーテムポールが立ち、全国から国体関係者を迎えた。

116

○これまで、全国各地において、我が地域と桃太郎を強調し、それを観光客誘致の起爆剤としたり、地域発信の素材として利用してきている。(以上、P3~8)

考えたこと

　岡山県が桃太郎を活用したのが1962年と、意外に最近だったことに驚きました。岡山県は国体のシンボルを「桃太郎」にしたことから、今で言えば、「ゆるキャラ」のようなものだろうと思います。そのことで、岡山国体と言えば「桃太郎」というイメージが植え付けられ、それが引いては岡山と言えば桃太郎となって、全国に広まっていったと考えられると思います。

　岡山県のそのような努力は、県のPR活動を成功させることになり、相乗効果として観光客を集めることにつながっていったのです。

　架空の人物をシンボルに使った市長さん、桃太郎の話と「温羅の鬼退治伝説」に結び付けた難波さんなど、多くの人の活躍によって、「岡山と言えば桃太郎」というイメージが定着したのだと考えると、すごい！

　そうだとすると、大月市でも、町おこしや観光に「大月桃太郎伝説」を活用しているのだろうか？　大月市長にお話を聞いてみました。

2021年7月28日　大月市役所市長室にて　母撮影

　上の写真は大月市長の小林信保さん、大月市教育長の宇野誠さん、大月桃太郎連絡会議の皆さんと「桃太郎サミット2021」の打ち合わせをしているところです。

　市長から「よつばさん、大月市の桃太郎伝説どうだった？」と聞かれたので、「桃太郎伝説地がすごいこと、ももたローソンが面白い」と返事をすると、「桃太郎とローソンのコラボレーションはもちろんのこと、観光地との連携は初めてのことだ」と教えていただきました。

　桃太郎とローソンで、「モモタローソン」。ローソンでは、地域に根

2021年7月28日　大月モモタローソンにて　母撮影

ざし、地域の活性化に貢献できることを目指しているそうです。コンビニの外装と内装ともに、大月桃太郎伝説一色でした。店内は、桃太郎関連グッズや山梨県のお土産が置いてあり、観光PRとして盛り上げています。大月

桃太郎伝説のキャラクターが至る所に掲示されていて、大月市民の桃太郎に対する愛が伝わってきました。私の住んでいる千葉県だったら、南総里見八犬伝や証城寺などでコラボレーションしたら面白そうだと思ったりもしました。

　大月市長に、「大月市から、桃太郎サミットの出演依頼のお話をいただいて初めて大月市が桃太郎の伝説地ということを知りました」と、正直に話したところ、「観光PRとしては、まだまだなんだ」と、観光課の担当の方と笑いながらお話しされていました。実は、2021年4月1日に、大月市役所花咲庁舎に「大月桃太郎課」が誕生し、桃太郎伝説で観光を盛り上げようと進めているそうです。

　そのことについて、朝日新聞デジタルから以下の記事を見つけました。

　桃太郎伝説でまちおこしを進める山梨県大月市では、機構改革で産業観光課の別称として「大月桃太郎課」を定めた。
市役所花咲庁舎では、課のプレートを「大月桃太郎課」「産業観光課（大月桃太郎課）」と記された看板に取り換えた。
　桃太郎と家来の動物たちがデザインされたカラフルな看板で、庁舎内でもよく目立つ。職員の新しい名刺にも「桃太郎」があしらわれた。志村隆夫課長は「電話の問い合わせにも『桃太郎課』と答え、大月ならではの観光と産業をアピールして盛り上げていきたい」と話していた。（「朝日新聞デジタル」2021年4月2日9時05分）

　こうして山梨県大月市では、桃太郎伝説で町おこしをしていることが分かりました。桃太郎パワーで観光や産業を盛り上げているわけです。
　立石さんが、岡山県の桃太郎伝説について、「町おこしのためのこ

じつけだった」とおっしゃっていましたが、大月市も同じことなの<ruby>大月市<rt>おおつきし</rt></ruby>だろうと想像します。

　それなら、他の県の<ruby>桃太郎<rt>ももたろう</rt></ruby>の伝説地もこじつけなのだろうか？　再度、<ruby>立石<rt>たていし</rt></ruby>さんに聞いてみることにしました。

　他の桃太郎伝説地も、<ruby>岡山県<rt>おかやまけん</rt></ruby>と同じように桃太郎話と「こじつけ」なのでしょうか？

　岡山県の<ruby>生誕<rt>せいたん</rt></ruby>の地とかいわれの地というのは、<ruby>吉備津彦尊<rt>きびつひこのみこと</rt></ruby>の話であって、桃太郎ではありません。他の地域も同じことでしょう。「<ruby>我<rt>われ</rt></ruby>こそが桃太郎の伝説地」と言いつつ、自分の地域を宣伝していた、つまり、こじつけです。

　立石さんと私は、日本テレビの「ファクトチェック」（2021年５月２日放送）という番組に出演させていただきました。私は「桃太郎は<ruby>盗人<rt>ぬすっと</rt></ruby>なのか？」について。立石さんは「桃太郎の伝説地」についての放送でした。

　その時の立石さんのお話によると、昭和４（1929）年末に世界<ruby>恐慌<rt>きょうこう</rt></ruby>の<ruby>一環<rt>いっかん</rt></ruby>として日本も<ruby>不況<rt>ふきょう</rt></ruby>になり、桃太郎を観光に結び付けようとした岡山県、<ruby>愛知県<rt>あいちけん</rt></ruby>、<ruby>香川県<rt>かがわけん</rt></ruby>などの多数の県が、昭和５（1930）年に桃太郎伝説地だと<ruby>一斉<rt>いっせい</rt></ruby>に名乗りをあげたと話しておられました。

　つまり、桃太郎で観光客を集め、<ruby>景気<rt>けいき</rt></ruby>回復を<ruby>図<rt>はか</rt></ruby>る<ruby>起爆剤<rt>きばくざい</rt></ruby>としたということなのです。

　今年（2021年）は、「桃太郎サミット2021」の開催に向けて、大月市だけでなく、<ruby>山梨県<rt>やまなしけん</rt></ruby>を巻き込んでの活動をおこなっているとのことでした。だから、大月市のいたるところに「大月桃太郎伝説」の<ruby>色鮮<rt>いろあざ</rt></ruby>やかな旗が立っていたのです。大月駅には、観光案内所があり、桃太郎を<ruby>紹介<rt>しょうかい</rt></ruby>するパンフレットがおいてあったり、大月桃太郎に関するお土産が売っていました。

「大月桃太郎伝説」の紹介をしてくださった和田定夫さんによれば、桃太郎伝説地にはもともと鬼伝説があり、それと「桃太郎」の話を結び付けたのではないかということです。

大月市で言えば、「九鬼山の鬼伝説」が桃太郎と結びつけられ、大月桃太郎伝説になったのではないかと考えておられました。また、九鬼山の鬼は、とても優しく人々からも慕われていたらしいとのこと。そして、宝物は取っていないとおっしゃっていました。

そう言えば、岡山県の温羅の鬼もとても優しい鬼で、村の人々に慕われていたのでした。それを知らない吉備津彦尊は、朝廷の命により、鬼征伐をしたのです。どこかしら、童話作家の浜田広介さんが書いた「泣いた赤鬼」の雰囲気も似ています（私は『桃太郎は盗人なのか？』の76〜80ページで「泣いた赤鬼」のことを書いています）。大月市も岡山市の鬼も、嫌われる鬼ではなくて「泣いた赤鬼」のような心優しい鬼だったのです。

妻覓ぎ桃太郎についての結論

昔は結婚相手を見つけることも難しかったため、桃太郎が妻を探しに行っても不自然ではなかった。妻を求めるのは当たり前というような考えだったのかもしれない。

桃太郎伝説についての結論

桃太郎のお話は鬼伝説に結びついたもの。昔は口伝えでお話を語っていたため、地域によって話の内容に差がある。そして、桃太郎はこじつけであるが、地域の観光にとても役に立っている。

「桃太郎絵巻」から見る妻覓ぎ

よつば コラム

　大月桃太郎連絡会議の皆さんから「桃太郎話」についてたくさんの資料をいただきました。その中に、東京工業高等専門学校の舩戸美智子さんの「桃太郎絵巻から見えるもう一つの桃太郎像（上・下）」（『東京工業高等学校研究報告書』第49、50号、2018年）という論文がありました。

　これには、大月桃太郎連絡会議が所属する「日本桃太郎会連合会」が、「桃太郎サミット2014」から桃太郎絵巻の調査・資料刊行をしていますが、その成果も反映されているそうです。

　連合会の調査によれば、現存が確認されている桃太郎絵巻は、国内に33巻、海外に４巻あり、その多くが江戸期に描かれたものだとのことで

す。桃太郎絵巻で一番古いものは、享保20（1735）年の「桃太郎絵巻」（堀野文禄蔵）で、現在は所在不明になっているそうです。

（日本桃太郎会連合会HP　https://momo-taro.jimdofree.com/資料室/桃太郎絵巻/）

　舩戸さんは30種以上の桃太郎絵巻を調査した結果、絵巻特有の桃太郎話の筋書があり、そこには４つの場面が見られると言います。

① 幼少期に、桃太郎は家に来た子どもたちにからかわれ、臼を投げ飛ばして彼らを追い払う。

② 桃太郎は、鬼ヶ島へ向かう船の上で寝そべる。

③ 桃太郎が鬼と戦う時には大木を振り回す。

④ 宝献上の場面では、鬼の王の側に若い姫が座している。

（舩戸美智子著「桃太郎絵巻から見えるもう一つの桃太郎像（下）」
『東京工業高等専門学校研究報告書第50号』 P67）

娘が３人いる！

３人の娘は、鬼の王の隣で、凛々しい桃太郎を恥じらいながら見つめている。

「桃太郎絵巻 高嵩渓筆」高松市歴史資料館所蔵

娘が２人いる！！

鬼の王が降参し、桃太郎に宝を献上する場面である。左の娘は、きれいな着物を着ているので、姫だろうか。右の女の人の着物がみすぼらしいことや顔にしわが見えることから、姫の下女だろうか。

「桃源遺事」英一川画　犬山市の桃太郎神社所蔵

この絵巻に関しては、私も妻覓ぎだと思います。女性も複数いることから、桃太郎は理想の人を選ぶことが出来たのではないでしょうか?

　しかしよく見ると、頭に角がある女性や着物と顔の様子から下女だと思われる女性もいます。下女とは、侍女のようなお手伝いさんのことで、頭に角の若い女性は、位の高い人だと思われます。

　つまり、この若い女性は鬼の姫で、桃太郎は鬼の姫を妻にしようとしているのです。絵巻だけを見てみると、鬼はかわいそうだという印象をもちました。

　この絵巻は、柳田國男さんが言っている「妻覓ぎの一条を備えている」と思われます。

　口伝えの伝承昔話は、人に伝わっていくにつれ、話が変化していくことを調べましたが、絵巻は当時の話を忠実に絵で残していったと考えられます。

　その江戸時代の桃太郎絵巻から、「桃太郎」は妻覓ぎの話であると結論づけることができました。

9

まとめ

おおつき
大月市立図書館にて（2021年10月17日）。ももたろう桃太郎サミットin大月2021

昔話『桃太郎』から見えてくるもの

　「お姫さまを連れ帰ってきている昔話『桃太郎』があるのか」、「地域によって桃太郎のお話が違うのか」の角度から、桃太郎伝説地について調べてきました。そのことから何が言えるのかをまとめることにします。

①松居直著の絵本『ももたろう』の再話について

　「手っきり姉さま」という青森県の五戸地区の方言そのままで昔話を収録している昔話集に載っている桃太郎を基に再話した。

②桃太郎の生まれ方

　桃は昔から邪気を払い、不老長寿の薬効があるとされていた。桃から生まれることで人ではなく、神となる。また、箱や果物などの空洞があるものには神霊が宿るとされ、異郷から小さ子が籠って流れ着く、昔の人々の思考が影響を与えている。

③桃太郎の人物像

　東北地方は力持ち、中国・四国地方は怠け者で寝てばかりの桃太郎がいた。地域によって別の主人公の昔話になっていて、その地域に伝わっている英雄型の話と「桃太郎」の話が結びついた。

④鬼ヶ島へ行く理由と宝物

　多くの昔話は口伝えで伝わっていたので、地域によって色々な話

になったり、時代によって庶民の願望に影響されたりして、鬼ヶ島に行く理由と宝物が変化した。また、色々な昔話同士が結びついて新しい話も生まれた。

⑤桃太郎を分類して

人の移動や色々な昔話が混ざり合っていくなか、地域では「桃太郎」が確立され、様々な桃太郎の話の型が出来ていき、しかも、海を越えて話が伝わってきたことも考えられる。

⑥妻覓ぎ桃太郎
――「結婚するという結末」とその変化

「桃太郎」は姫を助けるために鬼ヶ島へ行き、姫と結婚するという結末の昔話。つまり、「妻覓ぎ」の昔話だった。また、姫と結婚するという妻覓ぎの結末は、子どもに聞かせる話になってからその部分は削除され、鬼から財宝を取り返すという結末になった。

⑦本当の「桃太郎噺」
――不自然ではなかった「お嫁さん探し」の桃太郎

昔は結婚相手を見つけることも難しかったため、桃太郎が妻を探しに行っても不自然ではなかった。鬼ヶ島へ行ってでも、娘や姫を連れ帰り妻にしようとする話ができていった。

⑧桃太郎伝説について

桃太郎のお話は鬼伝説に結びついたもの。桃太郎伝説は地域の観光や町おこしのために作られたこじつけの話だった。

■お姫さまが出てくる「桃太郎」はあるのか？

　この疑問を解決するために、全国の桃太郎の昔話を読んできました。

　結局、お姫さま（あるいは娘）を助けているのは２話、嫁探しをしているのは１話しかありませんでした。「嫁取り噺」の「桃太郎」は、私の予想よりも少なかったわけです。

　しかし、「妻覓ぎ」という視点から桃太郎の物語を読み直すことができたのは、大きな発見でした。

　柳田國男さんは、一番古い桃太郎の昔話は「妻覓ぎ」だと結論づけておられました。それが「桃太郎」を子どもに語り聞かせるようになるうちに、妻覓ぎの部分が省略されたり、削除されたりして、悪い鬼を退治するために鬼ヶ島へ行くという英雄桃太郎噺になっていきました。

　「桃太郎」の話が広まっていくうちに、お姫さまや嫁取りは消えていったのですが、たくさんの種類があることも「桃太郎」の魅力でした。これからもどんどん新しい話が生まれ、色々な楽しみ方も増えて、様々な人に「桃太郎」が読まれ、語り継いでいってもらえればうれしく思います。日本だけではなくて、外国の人にも桃太郎を読んでもらえることを願っています。

　立石さんがおっしゃっていましたが、昔は遠くへ行って結婚相手を見つけるのは当たり前だったということから、よき配偶者を得ることは、宝物を得るに等しいという人々の願望が入っていたと考えられます。

　現在では松居直さんの『ももたろう』と野村純一さん監修の『ももたろう　完結版』の２冊しか、「妻覓ぎの桃太郎」の昔話はありません。

　ということは、現在は結婚よりも、宝物を得て豊かになりたいと

いう願望の方が強いのでしょうか？　いや、話の結末として幸せな結婚をするという昔話は、現在も多いし、それは昔も今も変わらないはずです。

　桃太郎のお話を分類してみて、たくさんの種類の話が見つかりました。その色々な話を読むなかで、地域によって差がでることや、桃太郎の名前すらも違うことに気づきました。このことは、昔話が口伝えで伝わっていたことに由来します。口で伝わることから伝える人によって物語に大きな差が出るようになったのです。

　それが本や教科書に掲載されるようになると、一般型と呼ばれる「桃太郎」へと統一されていくようになりました。地方で大切に大切に語り継がれてきた「桃太郎噺」。その全部が本物の「桃太郎」だと思います。それぞれの地方の人々の暮らしや、願望が桃太郎の姿をつくっていったのだと考えるからです。実際、現在でも桃太郎を町の宝として大切にしている人たちと出会いました。

　桃太郎は本当に存在する人物ではなく、こじつけであり、地域に存在する鬼伝説に結びついたものだと考えられます。

　しかし、地域の桃太郎伝説は、町おこしや観光に役立っていることが分かりましたし、どの伝説地でも桃太郎愛にあふれていました。

　全国の伝承「桃太郎」を訪ねる私の調べ学習は、ひとまずこれで終わりを迎えます。たくさんの本を読んで、生まれも性格も、鬼ヶ島へ行く理由や持ち帰る宝物も、まったく違う桃太郎に出会うことができたことは幸せでした。

　「桃太郎」だけなく、古くから伝わる昔話は、楽しみであり、あるときは教訓となり私たちの暮らしに生き続けています。この学習を通して物語の持つ力について考えることができたことが、一番の収穫でした。

🌰 あとがき 🌰
～2年間の調べ学習を終えて～

　私が小学6年生だった2020年3月から新型コロナ感染症の影響で、休校になったり、制約のある学校生活を送ったりしてきました。現在もなお、今までのように自由に活動することは難しいままです。

　だからこそ、この調べ学習は、本当に大変でした。何より、昔話集はその地域の図書館にしか蔵書のない場合が多く、本を集めて読むことが本当に難しかったからです。コロナ禍でなければ、国立国会図書館に行ったり、地方の図書館へ行ったりして読むこともできたでしょう。しかし、緊急事態宣言やまん延防止措置などが度々発令され、なかなか県外に出ることはできませんでした。

　千葉県内の佐倉市にある国立歴史民俗博物館にしても、日本全国の民話・昔話を蔵書していると知って問い合わせましたが、コロナウィルス感染症対策から、図書室を閉館しているとのことでした。

　けれど、そんななかでも、近くの公共図書館からリクエストすれば貸してくださるとのことでした。どこの司書さんも親切で、地元の袖ケ浦市立中央図書館の司書さんにもお願いして取り寄せていただきました。また、国立国会図書館のデジタルコレクションや他県の図書館からも本を取り寄せてもらいました。袖ケ浦市立中央図書館は、インターネットで予約した本のみを貸し出す業務から、館内2時間までの利用との規定に変更されましたが、夏休み中は図書館を利用することができたので、とても感謝しています。

　それでも収集できなかった昔話は、岩手県遠野市立図書館、長野県の「柳田國男館」、山梨県大月桃太郎連絡会議、大月市立図書館な

どにお願いして、日本全国の桃太郎の昔話を集めました。

　結局、「資料編」を作るだけで２年もかかってしまいました。ですから、それを含めてみなさんには読んでいただきたかったのですが、紙数の関係でこの本に収録することは叶いませんでした。

　しかし、その「資料編」は未完成です。実は、図書館にリクエストをしたものの、貸りることができなかったものが何冊もあり、読めていない昔話があるからです。特に、東北地方のものが集められませんでした。新型コロナウイルス感染症が落ち着いたら、読むことができなかった昔話集を読むために、現地へ行ってみたいというのが私の密かな願いです。

　この調べ学習に取り組んで気づいたことがあります。それは、人との関係を絶たないこと。人とのつながりの大切さに感謝することです。

　まずは、図書館の司書さん、学校司書の松井先生にお礼を言いたいと思います。市外や県外の図書館から本を取り寄せてくださったり、蔵書を調べたりしていただきました。また、調べ学習のやり方やまとめ方を丁寧に指導してくださいました。おかげで、次々に疑問が出てくるなか、多くの答えを本から見つけることができました。

　また、関敬吾さんの『日本昔話大成』や「柳田國男館」を教えてくださった山口和晃先生、「柳田國男館」の学芸員である近藤大知さん。このお二人からは、全国の桃太郎噺のまとめ方が分からない時に、日本地図に色分けしてまとめる方法や本にも載っていない民俗学的なことをたくさん教えていただきました。お二人の専門的な知識に感激して、私は、将来、学芸員になりたいと思うようになりました。日本人として、先人たちの暮らしや文化、歴史を学ぶことがとても楽しいと感じたからです。これを民俗学というものだという

ことも初めて知りました。

　山梨県大月市の桃太郎連絡会議のみなさんにもお礼を言いたいと思います。みなさんから大月市の桃太郎伝説に関する資料や伝説地の案内もしていただきました。本当に感謝しています。

　それにしても、「モモタローソン」はとても驚きました。これは大月市にしかない一つのコンビニということで、お客さんが増え、大月桃太郎伝説について知ってもらえたらうれしいと思います。しかも、「桃太郎課」なんて他では聞いたことがありません。本当に市が一体となって桃太郎伝説を盛り上げようとしています。今度行く時には、どんな感じになっているかとても楽しみです。

　昨年（2020年）の10月、私の曾祖母が亡くなりました。母の実家である山形県に帰省すると、いつも「よぐ来たな〜」と優しく迎えてくれた曾祖母。コロナ禍の中で、県外の人は葬式に参列しないで

2019年5月18日　叔父の結婚式にて　母撮影

ほしいと言われ、私たちは、リモートでの葬式になりました。葬儀場にも火葬場にも入れなかった私たちは、「コロナ差別」があることを実感しました。その時、都合の悪いことをなくそうとしたり、排除したりしようとした「妻覓ぎ桃太郎」と重なりました。

　いつも自分のことより、私の体を心配し、いつも私の味方でいてくれた「ばばちゃん」。曾祖母だったら、「コロナ差別」などしないで、関東から来た私たちを迎えてくれたに違いありません。

私は、東京オリンピックの千葉県シティキャストとして成田空港でボランティア体験をする予定でしたが、中学校のオリンピック学校観戦プログラムが中止になったのと同時に、ボランティア体験も中止となってしまいました。このシティキャストは、小学校6年生の時に応募し、とても楽しみにしていたものです。

コロナ禍は、私の人生を大きく変えました。やりたいこともやれず、我慢の連続。そんな中、変わらないものもありました。

それは、自分の中にある「探求心」です。この探求心があったからこそ、諦めずに、2年間という長い調べ学習を終えることができたのだと思います。

「お姫さまが出てくる桃太郎はあるのか？」そんな1つの疑問から始まった私の調べ学習は、全国の桃太郎噺を読むまでに広がっていきました。ここまで出来たのは本当に私の調べ学習に携わっていただいた人たち、みなさんのおかげだと思っています。

今回は中学生になって初めての調べ学習でした。中学校では、目上の人と接する機会が増えました。調べ学習でも人に接する態度はとても大事ですが、これから進学し、働く身になるとそれが当たり前になるのだと思います。だから、今回学んだ感謝の気持ちや態度を忘れずに生活していきたいと思います。

●参考・引用文献リスト（本を参考にした場合）

NO	著者名	書名	出版社名	出版年	ページ	図書館名
1	松居　直	ももたろう	福音館書店	1965年		本人所有
2	松居　直	絵本のよろこび	日本放送出版協会	2003年	P206〜 P224	袖ケ浦市立中央図書館
3	松居　直	絵本とは何か	日本エディタースクール出版部	1973年		袖ケ浦市立中央図書館
4	松居　直	絵本を見る眼	日本エディタースクール出版部	1978年	P231〜 P286	袖ケ浦市立中央図書館
5	松居　直	子どもの本・言葉といのち	日本基監教団出版局	2000年		袖ケ浦市立中央図書館
6	藤本朝巳	松居直と絵本づくり	教文館	2017年		袖ケ浦市立中央図書館
7	松居　直	松居直のすすめる50の絵本	教文館	2008年		袖ケ浦市立中央図書館
8	松居　直	絵本の現在子どもの未来	日本エディタースクール出版部	1992年		袖ケ浦市立中央図書館
9	河合隼雄・松居　直・柳田国男	絵本の力	岩波書店	2001年		袖ケ浦市立中央図書館
10	松居　直	絵本が育てる子どもの心	日本キリスト教団出版局	2004年		袖ケ浦市立中央図書館
11	松居　直	松居直と『こどものとも』	ミネルヴァ書房	2013年		袖ケ浦市立中央図書館
12	鈴木サツ	鈴木サツ全昔話集	鈴木サツ全昔話集刊行会	1993年	P374	袖ケ浦市立中央図書館
13	関　敬吾	日本昔話大成3	角川書店	昭和53年	P69〜85	袖ケ浦市立中央図書館
14	柳田国男	桃太郎の誕生	角川学芸出版	昭和48年		袖ケ浦市立中央図書館
15	与田準一	こどものとも　すねこ・たんばこ	福音館書店	1989年		袖ケ浦市立中央図書館
16	平野　直	南部伝承民話集　すねこ・たんばこ	銀河社			柳田國男館
17	松居　直	こども・えほん・おとな	NPO法人「絵本で子育て」センター	2013年		袖ケ浦市立中央図書館
18	田村正彦	鬼大図鑑	金の星社	2020年		袖ケ浦市立中央図書館
19	松居　直	絵本を読む	日本エディタースクール出版部	1983年		袖ケ浦市立中央図書館

NO	著者名	書名	出版社名	出版年	ページ	図書館名
20	松居　直	松居直自伝	ミネルヴァ書房	2012年		袖ケ浦市立中央図書館
21	福田　晃・常光　徹・斎藤寿始子	日本に民話を学ぶ人のために	世界思想社	2000年		袖ケ浦市立中央図書館
22	松居　直	声の文化と子どもの本	日本キリスト教団出版局	2007年		袖ケ浦市立中央図書館
23	野村純一	新・桃太郎の誕生	吉川弘文館	2000年		本人所有
24	石井正己	桃太郎はニートだった！	講談社	2008年		本人所有
25	野村純一	ももたろう　完結版	田原本町観光協会	平成15年		本人所有
26	明石散人	謎ジパング・誰も知らない日本史	講談社	1996年	P9〜19	袖ケ浦市立中央図書館
27	前田晴人	桃太郎と邪馬台国	講談社	2004年	P114〜170	袖ケ浦市立中央図書館
28	柳田國男	定本　柳田國男集第30巻	筑摩書房	昭和45年		袖ケ浦市立中央図書館
29	日本随筆大成編輯部	日本随筆大成〈第二期〉19	吉川弘文館	昭和50年	P446〜452	袖ケ浦市立中央図書館
30	滑川道夫	桃太郎像の変容	東京書籍	昭和56年		本人所有
31	滝沢馬琴	燕石雑誌				袖ケ浦市立中央図書館
32	知里真志保	日本昔譚集	郷土研究者	昭和12年		柳田國男館
33	能田多代子	手っきり姉さま	未来社	1958年		千葉県立中央図書館
34	平野　直	すねこ・たんぱこ	有光社	昭和18年		柳田國男館
35	佐々木喜善	紫波郡昔話	郷土研究社	大正11年		岩手県遠野市立図書館
36	国学院大学民俗文学研究会	岩手県南昔話集	国学院大学民俗文学研究会	昭和43年		柳田國男館
37	内田邦彦	津軽口碑集	郷土研究社	昭和4年		国立国会図書館またはデジタルコレクション
38	國學院大学民俗文学研究会	下北地方昔話集	國學院大学民俗文学研究会	昭和42年		国立国会図書館またはデジタルコレクション

NO	著者名	書名	出版社名	出版年	ページ	図書館名
39	東出版	津軽百話	國學院大学民俗文学研究会	昭和42年		国立国会図書館またはデジタルコレクション
40	國學院大学民俗文学研究会	伝承文芸第12号第二集	國學院大学民俗文学研究会	昭和50年		国立国会図書館またはデジタルコレクション
41	國學院大学民俗文学研究会	譚(再刊1号)	國學院大学民俗文学研究会	昭和42年		国立国会図書館またはデジタルコレクション
42	小笠原謙吉	岩手県紫波郡昔話集	三省堂	昭和48年		国立国会図書館またはデジタルコレクション
43	國學院大学民俗文学研究会	由利地方昔話集	國學院大学民俗文学研究会	昭和49年		国立国会図書館またはデジタルコレクション
44	武田　正	飯豊山麓の昔話	三弥井書店	昭和48年		国立国会図書館またはデジタルコレクション
45	野村純一	笛吹き聟―最上の昔話―	桜楓社	昭和47年		国立国会図書館またはデジタルコレクション
46	石川純一郎	会津館岩村民族誌昔話編	館岩村教育委員会	昭和49年		国立国会図書館またはデジタルコレクション
47	國學院大学説話研究会	会津百話	桜楓社	昭和49年		国立国会図書館またはデジタルコレクション
48	國學院大学民俗文学研究会	相馬地方昔話集	國學院大学民俗文学研究会	昭和39年		国立国会図書館またはデジタルコレクション
49	武田　明	双葉郡昔話集				国立国会図書館またはデジタルコレクション
50	鈴木棠三	川越地方昔話		昭和11年		国立国会図書館またはデジタルコレクション
51	川越高等女学校校友会郷土研究室	川越地方郷土研究第四輯		昭和13年		国立国会図書館またはデジタルコレクション
52	鈴木棠三	川越地方昔話集	民間伝承の会	昭和12年		国立国会図書館またはデジタルコレクション

NO	著者名	書名	出版社名	出版年	ページ	図書館名
53		郷土研究資料第二輯		昭和6年		国立国会図書館またはデジタルコレクション
54	富津町教育委員会	富津町口承文芸		昭和47年		国立国会図書館またはデジタルコレクション
55	民間伝承の会	昔話研究（第1～2巻）		昭和12年		国立国会図書館またはデジタルコレクション
56	野村純一	増補改訂吹谷松兵衛昔話集	「吹谷松兵衛昔話集」刊行会	昭和50年		国立国会図書館またはデジタルコレクション
57	伊藤太郎	犬に呑まれた嫁―巻町の民話―	桜楓社	昭和48年		国立国会図書館またはデジタルコレクション
58	水沢謙一	いきがボーンとさけた	未来社	昭和33年	P253～256	千葉県立中央図書館
59	鈴木棠三	佐渡昔話集	民間伝承の会	昭和14年		国立国会図書館またはデジタルコレクション
60		滋賀県長浜昔話集				国立国会図書館またはデジタルコレクション
61		川越地方昔話集				国立国会図書館またはデジタルコレクション
62	常光　徹	石川県珠洲の昔話と伝説（1）（2）		昭和48年・昭和49年		国立国会図書館またはデジタルコレクション
63		昔話研究第1巻　第2巻				国立国会図書館またはデジタルコレクション
64	土橋里木	続甲斐昔話集	郷土研究社	昭和5年		山梨県立図書館
65	小山真夫	小県郡民譚集	郷土研究社	昭和8年		国立国会図書館またはデジタルコレクション
66	花部英雄	桃太郎の発生	三弥井書店	2021年		木更津市立図書館
67	國學院大学民俗文学研究会	丹波地方昔話集―伝承文芸第10号―	國學院大学民俗文学研究会	昭和48年		国立国会図書館またはデジタルコレクション

NO	著者名	書名	出版社名	出版年	ページ	図書館名
68	高田十郎	播州小河地方の昔話		昭和7年		国立国会図書館またはデジタルコレクション
69	大谷女子大学説話文学研究会	東伯郡赤崎町昔話集（上）（下）	大谷女子大学説話文学研究会	昭和42年		国立国会図書館またはデジタルコレクション
70	下田村立鹿峠中学校・山崎俊一	越後下田郷昔話集	下田村立中央公民館	昭和51年	P73〜76	千葉県立中央図書館
71	横地満治・浅田芳朗	隠岐の昔話と方言	兵庫郷土文化社	昭和11年		国立国会図書館またはデジタルコレクション
72	田中瑩一・坂井董美	鼻さき甚兵衛—出雲の昔話—	桜楓社	昭和49年		千葉県立中央図書館
73	藤原節子	とんとんむかし—藤原千代子の昔話—		昭和48年		国立国会図書館またはデジタルコレクション
74	柴口成浩・幸子	三室むかしこっぷり		昭和4年		国立国会図書館またはデジタルコレクション
75	磯貝 勇	安芸国昔話集1	岩崎美術社	昭和49年		国立国会図書館またはデジタルコレクション
76	大谷女子大学説話文学研究会	下高野昔話集	下高野昔話集	昭和44年		国立国会図書館またはデジタルコレクション
77	磯貝 勇	安芸国昔話集	岡書院	昭和9年		国立国会図書館またはデジタルコレクション
78	細川頼重	東祖谷昔話集	岩崎美術社	昭和50年		国立国会図書館またはデジタルコレクション
79	愛媛県	昔研				国立国会図書館またはデジタルコレクション
80	桂井和雄	土佐昔話集	高知日報社	昭和23年		国立国会図書館またはデジタルコレクション
81	高知県	旅伝				国立国会図書館またはデジタルコレクション

NO	著者名	書名	出版社名	出版年	ページ	図書館名
82		福岡県童話				国立国会図書館またはデジタルコレクション
83	国学院大学説話研究会	佐賀百話	桜楓社	昭和47年		国立国会図書館またはデジタルコレクション
84		天草島伝説纂譚		昭和6年		国立国会図書館またはデジタルコレクション
85	岩倉市郎	沖栄良部島昔話集	民間伝承の会	昭和44年		国立国会図書館またはデジタルコレクション
86	浅川欽一	奥信濃昔話集	岩崎美術社	1984年		柳田國男館
87	大橋和華	恵那昔話集	岩崎美術社	1977年		柳田國男館
88	柳田國男	全國昔話記録紫波郡昔話集	三省堂	昭和17年		柳田國男館
89	山下久男	加賀江沼郡昔話集	小川書店	昭和10年		国立国会図書館またはデジタルコレクション
90	稲田浩二・立石憲利	奥備中の昔話	三弥井書店	昭和48年	P126	柳田國男館
91	黄地百合子・大森益雄・堀内洋子・松本孝三・森田宗男・山田志津子	南加賀の昔話	三弥井書店	1979年		千葉県立中央図書館
92	おかやま桃太郎研究会	桃太郎は今も元気だ	吉備人出版	2005年		千葉県立中央図書館
93	宮本常一・山下久男・外山暦郎・中山徳太郎・青木重孝・柳田国男・早川幸太郎	日本民俗誌大系第7巻　北陸	角川書店	1974年	P106、107	千葉県立中央図書館
94	立石憲利	桃太郎話みんな違って面白い	岡山市デジタルミュージアム	2006年		千葉県立中央図書館
95	磯貝　勇	全国昔話資料集成・5 安芸の国昔話集	岩崎美術社	1974年	P51	袖ケ浦市立中央図書館
96	武田　明	全国昔話資料集成・9 西讃岐地方昔話集	岩崎美術社	1975年		袖ケ浦市立中央図書館
97	細川頼重	全国昔話資料集成・10 東祖谷昔話集	岩崎美術社	1975年		袖ケ浦市立中央図書館
98	宝賀寿男	吉備氏　桃太郎伝承をもつ地方豪族	青垣出版	2016年		千葉県立東部図書館

NO	著者名	書名	出版社名	出版年	ページ	図書館名
99	稲田浩二	岡山県昔話資料集なんと昔があったげな（上巻）	岡山民話の会	1964年	P16〜28	国立国会図書館またはデジタルコレクション
100	柳田國男	桃太郎の誕生	角川学芸出版	昭和48年		本人所有
101	滑川道夫	桃太郎像の変容	東京書籍	昭和56年		本人所有
102	鳥越 信	桃太郎の運命	ミネルヴァ書房	2004年		本人所有
103	野村純一	野村純一著作集第3巻桃太郎と鬼	清文堂	2011年		本人所有
104	ざっと昔を聴く会	東白川郡のざっと昔	ふるさと企画	1986年	P12〜16	国立国会図書館
105	立石憲利	民話集三室峡	手帖舎	1996年	P33〜39	国立国会図書館
106	立石憲利	しんごうの民話	手帖舎	1995年	P46〜47	国立国会図書館
107	ざっと昔を聴く会	石川郡のざっと昔—福島県石川郡昔話集—	三協社	平成3年	P2〜4、147〜149	国立国会図書館
108	島根大学国語教育研究室	島根県八束郡美保関町民話集	島根大学国語教育研究室	1997年	P11〜22	国立国会図書館
109	稲田浩二・立石憲利	中国山地の昔話—賀島飛左媼伝承四百余話—	三省堂	昭和49年	P3〜6、226	国立国会図書館
110	立命館大学文学部	能登来町昔話集	北国書籍印刷株式会社	昭和53年	P76〜77	国立国会図書館
111	有賀 訓	鬼が嗤った！ 日本古代史	KKベストセラーズ	2007年		本人所有
112	柳田國男	柳田國男全集10	ちくま文庫	1990年		袖ケ浦市立中央図書館
113	山嵜泰正	おもしろ鬼学	北斗書房	平成15年		国立国会図書館
114	富津町教育委員会	富津町の口承文芸		昭和46年		千葉県立中央図書館
115	梶井厚志	昔話の戦略思考	日本経済新聞出版社	2017年		袖ケ浦市立中央図書館
116	福田 晃・常光 徹・斎藤寿始子	日本の民話を学ぶ人のために	世界思想社	2000年		袖ケ浦市立中央図書館
117	神木 優	きびだんごの法則	株式会社グットブックス	2018年		本人所有
118	伊藤清司	桃太郎のふるさと	杏林大学			インターネット検索
119	舩戸美智子	桃太郎絵巻から見えるもう一つの桃太郎像（上）	東京工業高等専門学校			大月桃太郎連絡会議

NO	著者名	書名	出版社名	出版年	ページ	図書館名
120	斎藤五百枝	桃太郎	講談社	2001年		袖ケ浦市立中央図書館
121	斎藤五百枝	桃太郎	大日本雄弁会講談社	昭和11年		大月桃太郎連絡会議
122	猪野賢一編集	桃太郎	大日本雄弁会講談社	1957年		大月桃太郎連絡会議
123	猪野賢一編集	桃太郎	講談社	昭和41年		大月桃太郎連絡会議

●参考・引用文献リスト（インターネットを参考にした場合）

NO	WEBページを制作した人	WEBページ名	URL
1	ちびむすドリル	小学生　白地図（日本地図）・都道府県名入り	https://happylilac.net/sy-sirotizu.html
2	川崎市立日本民家園	日本民家園だよりVOL92	http://www.nihonminkaen.jp/
3	岡山市旭操学区連合町内会HP	立石おじさんこと立石憲利さんの「おかやまと桃」	https://townweb.e-okayamacity.jp/c-yokusou-r/2019/12/27

お世話になった方々

- 袖ケ浦市立中央図書館司書のみなさん
- 袖ケ浦市立昭和中学校司書　松井恭子先生
- 袖ケ浦市立根形中学校司書　佐々木悦子先生
- 千葉県立君津特別支援学校　山口和晃先生
- 千葉県立君津特別支援学校　藤平達也先生
- 国立東京工業高等専門学校　舩戸美智子先生
- 日本桃太郎の会会長　松川忠嗣さん
- 日本桃太郎会連合会資料室長　大久保和彦さん
- 柳田國男記念館　学芸員　近藤大知さん
- 日本民話の会会長、日本桃太郎会連合会会長　立石憲利さん
- 大月市桃太郎会連絡会議のみなさん
- 大月市市長　小林信保さん
- 大月市立図書館のみなさん
- 大月市教育長　宇野　誠さん
- 田原本まちづくり観光振興機構のみなさん
- 岩手県遠野市立図書館のみなさん
- 私の祖父母　工藤良美さん　工藤洋子さん

ありがとうございました

後記──よつばさん、今回もありがとう

　小社と倉持よつばさんとのつながりは、2019年2月に開かれた「第22回図書館を使った調べる学習コンクール」（主催：公益財団法人図書館振興財団）で、文部科学大臣賞（小学生の部〈高学年〉）を受賞した「桃太郎は盗人なのか？〜「桃太郎」から考える鬼の正体〜」を、同名タイトルで単行本として刊行させていただいたことに始まります。

　刊行後は、テレビ（「サンドウィッチマン＆芦田愛菜の博士ちゃん」など）や新聞（「朝日新聞」など）で取り上げられ、大きな注目を集めることになったのは、版元としてたいへん幸福なことでした。

　そして、今年1月、よつばさんから今回も「中学生の部」で文部科学大臣賞を受賞されたという寒中見舞いをいただき、その快挙を知りました。しかも、「桃太郎」についての、新しい角度からの「作品」だというではありませんか。すっかり驚嘆してしまいました。

　よつばさんからお知らせをいただいた際は、お祝いの返事メールを出しただけでしたが、どんな作品なのだろうと好奇心は膨らむばかりです。そこで、前著でもたいへんお世話になった「図書館振興財団」さんに、「事務所の部屋で1時間ほどでいいですから『作品』を見せていただけませんか」とお願いし、拝見。受賞を知った1度目の驚きよりも、さらに大きなもので、驚嘆というより「大衝撃」でした。

　なぜなら、前作から3年も経つと、話の運び方や表現力が「大人顔負け」と思うほど、明瞭で豊かになり、「人の成長」を実感したからです。しかし、それにも増して「あとがき」にあるように、「自分（よつばさんのこと）の中にある『探求心』」のたくましさに出会ったからでした。

　その結晶がこの「本編」であることは紛れもないことですが、見落としていけないのは「資料編」。「あとがき」でその苦労の一端が読み取れますが、コロナ禍で図書館が利用できないハンディーを乗り越えながら

２年の歳月を経て完成させています。それだけに、よつばさんは「作品目次」の前に、自作の「おにたん」（おにの子ども）の絵とともに、「資料編も見て下さい。資料編と本編はつながっています」と、書いたのです。

　実際、「資料編」には、コツコツと記録した読書録と、読みたかったけれども読めなかった書誌的なことだけを記した空欄のままのリストなどが収録されていて、「探求心」のありようがリアルに分かります。

　そのことを読者の方に知ってもらいたかったのですが、膨大な量でもあったため、本書には未収録となりました。よつばさんには申し訳のないことでした。ごめんなさい。

　さらに申し上げたいことは、今回も椎名誠さんから本書への「応援メッセージ」をいただいたことでした。次の言葉です。

「一読してぶったまげました。

　素晴らしい作品に出会い、両手をひろげて何度も快哉を叫んでいるような気分です。

　あの純粋で情熱的な『よつばさん』が、するどい洞察力と追求の視線をもってかえってきたのです！　小学生から中学生になって行動力にはずみをつけ、感性をさらにするどくさせ、曖昧で不可思議な『むかし話』の世界の謎を軽快にこじあけていきます。若く新しい民俗学がずんずんあるきだしたのです！」

　椎名さん、本当にありがとうございました。深く感謝申し上げます。

　また、公益財団法人図書館振興財団理事長・石井昭様をはじめ、今回多くのご助言やご協力をいただきました同財団事務局長・佐藤達生様、事務局の植村圭子様、株式会社図書館流通センター仕入部部長・池田和弥様に深く御礼を申し上げます。

2022年4月15日　　　　　　　新日本出版社 社長　田所 稔

■著者

倉持よつば（くらもち　よつば）

2007年4月生まれ。第22回「図書館を使った調べる学習コンクール」調べる学習部門小学生の部（高学年）において「桃太郎は盗人なのか？〜『桃太郎』から考える鬼の正体〜」で、第25回「図書館を使った調べる学習コンクール」調べる学習部門中学生の部において「嫁取り噺『桃太郎』〜全国の伝承昔話『桃太郎』を読み比べる〜」で、文部科学大臣賞を受賞した。

■デザイン・制作／こどもくらぶ（佐藤道弘）

■手がきイラスト／倉持よつば

桃太郎は嫁探しに行ったのか？

2022年5月15日　初　版
2023年8月10日　第2刷

著　者　倉 持 よ つ ば
発行者　角 田　真 己

〒151-0051 東京都渋谷区千駄ヶ谷4-25-6
発行所　株式会社 新日本出版社
電話 営業03-3423-8402
編集03-3423-9323
info@shinnihon-net.co.jp
www.shinnihon-net.co.jp
振替 00130-0-13681
印刷　光陽メディア
製本　小泉製本